Français.com

FRANÇAIS PROFESSIONNEL

3ᵉ ÉDITION

Jean-Luc Penfornis

CLE
INTERNATIONAL

Crédits photographiques (de gauche à droite et de haut en bas.)

Couverture : Milles Studio/Adobe Stock

Les photos suivantes sont toutes issues d'Adobe Stock, sauf indications :
p.8 : Milan Markovic/Algre/Chansom Pantip/Piotr Pawinski ; **p.10** : Monkey Business/Peter Atkins/ Monkey Business ; **p.11** : Lenalvanova ; **p.12** : Kritchanut/ Rocketclips/Mojzes Igor/Fotofrol ; **p.14** : Riko Best/©Sergiy Palamarchuk-Shutterstock /© Swatch/© Michelin ; **p.15** : Rido ; **p.16** : Goodpics ; **p.20** : Photozi/www.freund-foto.de ; **p.21** : Rido ; **p.22** : Evgenia Tiplyashina ; **p.23** : Victor Koldunov/JackF ; **p.24** : Ladysuzi/Yeti Studio/Azure/Ppicasso/Prapann/Stuart Miles/Y.L. Photographies/yunava1/victor/DenisNata/Александр Беспалый/MariaFrancesca/JohanSwanepoel ; **p.27** : JackF ; **p.32** : Sergey Peterman/ © Stacy Morrison / zefa / Corbis ; **p.36** : JackF ; **p.37** : Ausloeser, zefa, Corbis ; **p.37** : Ty/danrentea ; **p.39** : Aaron Amat/Sebra/WavebreakmediaMicro/goodluz/Sibylle/F. Krawen/rh2010 ; **p.40** : Sikov ; **p.44** : goodluz ; **p.45** : VectorParadise/Forgem ; **p.49** : Minerva Studio ; **p.52** : bnenin ; **p.53** : ldprod ; **p.54** : ©T. Hemmings-zefa-Corbis /©Fotolia-Monkey Business ; **p.55** : Konstantin Yuganov ; **p.56** : jotily/©REA-Nicolas Tavernier ; **p.57** : Africa Studio ; **p.58** : JackF ; **p.59** : ink drop/ppvector/pict rider/martialred/Marc/Ar_twork ; **p.60** : Paolese ; **p.61** : frikota ; **p.63** : ©Russel Kord/Photononstop ; **p.64** : DiBronzino ; **p.69** : ink drop ; **p.70** : Image'in ; **p.71** : AboutLife ; **p.72** : Vasyl ; **p.73** : mashot/paseven ; **p.75** : sebra ; **p.76** : goodluz ; **p.78** : Jacob Lund ; **p.79** : djama ; **p.80** : amixstudio/glyphstock ; **p.83** : Iakov Filimonov (JackF)/fizkes ; **p.87** : Mangostar ; **p.88** : Photocreo Bednarek ; **p.91** : Syda Productions ; **p.92** : DeskGraphic ; **p.95** : Thomas Hecker/Hugh O'Neill/Roman Samokhin/belander/Thomas Hecker/Eugenia Struk ; **p.101** : sissoupitch ; **p.102** : RVNW/nico75/NicoElNino ; **p.103** : Andrey/biotin/Jonathan Stutz/shooting88 ; **p.104** : Paul Hardy ; **p.105** : ©Chuck Savage-Corbis/auremar ; **p.107** : LIGHTFIELD STUDIOS ; **p.110** : moodboard/didesign/contrastwerkstatt ; **p.111** : Andrey Popov ; **p.113** : nakophotography ; **p.115** : contrastwerkstatt ; **p.116** : © Rick Gomez-Corbis/annanahabed/nullplus ; **p.117** : santypan ; **p.118** : Drobot Dean/kritchanut/Dragana Gordic ; **p.119** : pressmaster ; **p.120** : sljubisa/VectorParadise ; **p.121** : Sung Kuk Kim ; **p.122** : 2dmolier/Zarya Maxim**/goir/**Dumitru ; **p.127** : Dmitry Potashkin ; **p.128** : Mellow10 ; **p.129** : Dmytro ; **p. 139** : La vache qui rit est une marque enregistrée au nom des Fromageries Bel ; **p.144** : Andrey Popov ; **p.149** : SkyLine

Les photos suivantes sont de l'auteur :
p.8, 42, 62, 64, 65, 69, 85, 86, 89,131

Direction éditoriale : Béatrice Rego
Marketing : Thierry Lucas
Édition : Sylvie Hano, Marie-Charlotte Serio
Conception graphique : Griselda Agnesi
Mise en page : Domino
Couverture : Dagmar Stahringer
Illustration : Claude-Henri Saunier

Français.com est une méthode de français pour débutants, tournée vers le voyage et le monde du travail, couvrant une centaine d'heures d'apprentissage.

Ce cours est fait pour vous, si vous souhaitez :
– réaliser des tâches courantes de la vie quotidienne : engager une conversation téléphonique, écrire un e-mail, prendre rendez-vous, passer commande dans un restaurant, régler un achat, etc.
– connaître des expressions ou mots usuels ;
– acquérir de solides connaissances grammaticales ;
– préparer un examen de français professionnel (tel le DFP, niveau A2, de la Chambre de commerce et d'industrie de Paris-Île-de-France).

Cette troisième édition a été grandement enrichie.
Vous y trouverez :
– plus de documents audio et écrits, des exercices et activités tenant compte de l'évolution technologique, notamment de l'**émergence du numérique**,
- à la fin de chaque unité, des « **gros plans** » portant sur des thèmes actuels, tels que les nouvelles habitudes de voyage (Airbnb, comparateurs en ligne, etc.), les infox (fake news), etc.
– à la suite des **fiches de grammaire**, des annexes entièrement nouvelles, toujours accompagnées d'exercices, pour travailler :
– la **phonétique** ;
– la **correspondance professionnelle (par mail)** ;
– la **communication téléphonique** ;
– le **lexique**.

À la toute fin du livre, un **index grammatical** vous oriente rapidement vers une leçon traitant tel ou tel point de grammaire.

De plus, **un guide de la communication, à lire et à écouter**, accompagne la méthode. Ce guide, qui récapitule les actes de communication propres à chacune des 35 leçons, est également disponible sur Internet, à l'adresse suivante : français.com.cle-international.com.

Enfin, pour renforcer vos acquis, cet ouvrage est accompagné de son indispensable **cahier d'exercices**.

Bon travail !

L'auteur

Tableau des contenus

unité 7	Leçons	Pages	Savoir-faire	Grammaire	Vocabulaire
TRANCHES DE VIE P. 104	**1. Se rappeler ses petits boulots**	104	Évoquer un souvenir	**La formation de l'imparfait** *chaque / chacun*	Autour des métiers : serveur, employé de banque, guide, vendeur
	2. Suivre les faits divers	106	Raconter une histoire	**L'emploi du passé composé et de l'imparfait**	Autour des incidents au travail
	3. Faire carrière	108	Rapporter des événements marquants d'une vie professionnelle	**Les indicateurs de temps :** *depuis, il y a, pendant, pour, en* **Les relatifs** *qui, que, où* **La mise en relief**	Le déroulement d'une carrière : de l'embauche à la retraite
	4. Gérer le stress	110	Expliquer une situation de stress, les causes et les conséquences	**Le pronom** *en* **de quantité :** *j'en veux, j'en ai un*	Les situations de stress au travail
	5. Faire des projets	112	Dire ce qu'on fera plus tard	**Le futur simple** **Le pronom** *y*, **complément de lieu**	Les tâches au futur : *je terminerai le rapport demain*
	Faire le point	114	vocabulaire - grammaire - écouter - lire		
	Entre cultures	118	L'expatriation		
	Gros plan sur...	119	Les débuts de carrière		

Premiers contacts

1. Faire ses premiers pas

A Premiers mots

1. Qu'est-ce que c'est ?

a. Écrivez les mots sous les photos.

une voiture · des euros · ~~un bus~~ · un dictionnaire · des fleurs

Un bus _____ _____ _____ _____

b. 🎧 Écoutez et répétez.

2. Masculin, féminin ou pluriel ?

a. Mettez un, une, des.

un avion   _____ bicyclette

_____ taxi   _____ restaurants

_____ sports   _____ passeport

_____ caméra   _____ cinéma

b. 🎧 Écoutez pour vérifier vos réponses. Puis répétez.

GRAMMAIRE

Les articles indéfinis

	Masculin	Féminin
Singulier	**un** avion	**une** voiture
Pluriel	**des** avions	**des** voitures

• Le nom est-il masculin ou féminin ? Il n'y a pas de règle. Il faut regarder dans un dictionnaire.
• En général, pluriel des noms = singulier + -s. Il y a des exceptions.
Attention : on ne prononce pas le s.

Pour aller plus loin
→ *Exercices page 125*

B Premiers achats

1. Vous comptez de 0 à 20.

a. 🎧 Allez page 128. Écoutez et répétez les nombres de 0 à 20.

b. 🎧 Des voyageurs achètent des tickets de métro. Écoutez trois dialogues. Entourez les nombres que vous entendez.

Dialogue 1 : 1 3 11 13 18 20
Dialogue 2 : 6 7 8 9 10 12
Dialogue 3 : 1 2 4 5 15 16

👥 JOUEZ À DEUX

A : Consultez le dossier 1 page 120.
B : Consultez le dossier 8 page 122.

2. Vous achetez un ticket de métro.

🎧 Écoutez. Complétez avec les mots suivants.

s'il vous plaît · au revoir · merci · pardon · bonjour

Voyageur : Un ticket.
Vendeur : Bonjour, monsieur.
Voyageur : _____, un ticket.
Vendeur : Pardon ?
Voyageur : Un ticket, _____.
Vendeur : Un euro.
Voyageur : _____ ?
Vendeur : Un euro, s'il vous plaît.
Voyageur : Voilà.
Vendeur : _____, au revoir, monsieur.
Voyageur : _____.

👥 JOUEZ À DEUX

À deux, pratiquez la conversation ci-dessus.
Vous êtes voyageur, achetez plusieurs tickets.
(deux, trois, quatre, etc.)
Voyageuse : - Trois tickets.
Voyageur : - Bonjour, madame.
- Etc.

PHONÉTIQUE

Les 3 sons du français

🎧 Écoutez. Répétez.

• 10 voyelles orales

[a] table   [ø] [ə] deux
[ə] été   [y] bus
[ɛ] sept   [o] mot
[i] fini   [ɔ] port
[œ] peur   [u] douze

• 3 voyelles nasales   **• 3 semi-consonnes**

[ɔ̃] onze   [j] ail
[ɛ̃] vingt   [ɥ] huit
[ɑ̃] cent   [w] oui

• 17 consonnes

[p] pipe   [v] verre
[t] tout   [z] zéro
[k] quatre   [ʒ] bonjour
[b] bout   [l] elle
[d] deux   [ʀ] terre
[g] gare   [m] métro
[f] faux   [n] non
[s] si   [ɥ] signe
[ʃ] chat

Bonjour, monsieur.

Un ticket.

9

A Ils se présentent

1. Ils habitent en France et parlent français. Mais ils viennent de pays différents.

a. 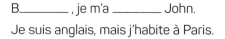 **Écoutez. Complétez. Répétez.**

B_____ , je m'a _____ John.
Je suis anglais, mais j'habite à Paris.

Bonjour. Moi, je suis Ingrid. Je _____
allemande. Je _____ étudiante à
Genève. Je parle ang_____, français,
allemand. J'ai 19 ans.

Bonjour. Moi, je m'_____ Fabien.
Je _____ français. J'_____ à Lyon.
Je _____ français et italien.
J'_____ 40 ans. Et vous ?

b. Complétez. Puis écoutez et répétez.

1. John _____ anglais.
2. Il _____ à Paris.
3. Elle s'_____ Ingrid.
4. Elle _____ allemande.
5. _____ _____ étudiante.
6. _____ _____ 19 ans.
7. Fabien _____ français.
8. Il _____ _____ Lyon.
9. Il _____ français et italien.
10. _____ _____ 40 ans.

c. Oui ou non ?

1. John est américain.

– *Non, il est anglais.*

2. Ingrid est suédoise.

– _____

3. Elle a dix-neuf ans.

– _____

4. Fabien habite à Genève.

– _____

5. Il parle trois langues.

– _____

> **GRAMMAIRE**
>
> ### Le présent de l'indicatif
>
> **Être :** je suis, il/elle est
> **Avoir :** j'ai*, il/elle a
> **Parler :** je parle, il/elle parle
> **Appeler :** je m'appelle, il/elle s'appelle
> **Habiter :** j'habite*, il/elle habite
>
> ***Je** => J' (+ a, e, i, o, u, y, h muet)

2. De 21 à 69 ans.

a. **Allez page 128. Écoutez et écrivez les nombres que vous entendez : 21, 22... Puis répétez.**

b. Écrivez en lettres.

1. 41 : *quarante et un*
2. 47 : _____
3. 51 : _____
4. 54 : _____

c. **Écoutez et complétez en chiffres.**

1. Aïssa a _____ ans.
2. Bin a _____ ans.
3. Batacar a _____ ans
4. Lara _____ ans.

B C'est à vous !

1. Il ou elle ?

Mettez *il* ou *elle*.

1. _____ est japonaise.

2. _____ habite à Londres, mais _____ est américaine.

3. _____ est belge ; _____ s'appelle Paul.

4. _____ est chinois et _____ est chinoise.

b. Choisissez la bonne réponse.

1. Elle est suédoise, elle parle :

   ☐ **a.** suédois.   ☐ **b.** suédoise.

2. Elle est brésilienne, elle parle :

   ☐ **a.** espagnole.   ☐ **b.** portugais.

3. Il habite à Alger, il parle :

   ☐ **a.** algérienne.   ☐ **b.** arabe.

4. Il est américain, mais il parle :

   ☐ **a.** anglais.   ☐ **b.** français.

5. Il est belge, il parle :

   ☐ **a.** belge.   ☐ **b.** français.

2. Vous présentez Berrak Sahin.

Berrak SAHIN
3 rue Blaise Pascal
37 000 TOURS

bsahin@orange.fr
06 75 51 24 90
28 ans
De nationalité turque

**HÔTESSE DE L'AIR
TRILINGUE
TURC- ANGLAIS - FRANÇAIS**

Expérience professionnelle

Depuis 2020 : Hôtesse de l'air chez AIR AZUR
 – Vérification du fonctionnement des équipements
 – Accueil des passagers
 – Distribution des repas, collations, revues.

Elle s'appelle...

3. À vous !

Bonjour, je m'appelle...

▶ GRAMMAIRE

Adjectifs de nationalité : masculin et féminin

Il est espagnol
 américain
 italien
 russe

Elle est espagnole
 américaine
 italienne
 russe

Il / Elle parle espagnol
 anglais
 italien
 russe

Pour aller plus loin
→ Exercice A, page 127

▶ PHONÉTIQUE

Masculin-féminin

🎧 11 **Écoutez. Répétez.**

1. français/française

2. étudiant/étudiante

3. chinois/chinoise

4. allemand/allemande

5. américain/américaine

L'accent tonique

🎧 12 **Écoutez. Répétez.**

1. Vanes**sa**, Sébas**tien**, Frédé**ric**

2. Bon**jour**, je suis **Lise**, j'ai quarante **ans**.

3. Ol**ga**, elle est **russe**, elle parle fran**çais**.

4. A**li**, il est **turc**, il habite **Lyon**.

Pour aller plus loin
→ Phonétique n° 21, page 145

Situations

1. Vous êtes madame ?

🎧 13 Écoutez ou lisez. Associez les dialogues et les photos.

Dialogues	1	2	3	4
Photos				

Dialogue ❶

– Vous êtes madame ?
– Je suis Christiane Bulle.
– Excusez-moi, vous pouvez épeler votre nom, s'il vous plaît ?
– B. U. deux L. E
– Un instant, s'il vous plaît.

Dialogue ❷

– Allô, Daniel ?
– Oui, c'est moi.
– C'est Maxime.
– Ah, c'est toi, salut, tu vas bien ?
– Ça va, et toi ?

Dialogue ❸

– Bonjour, monsieur Bouchard.
– Bonjour.
– Vous allez bien ?
– Ça va bien, merci. Et vous ?

Dialogue ❹

– Excusez-moi, vous êtes madame Papin ?
– Oui, c'est moi.
– Je suis Victoria Lavergne, enchantée.
– Enchantée.

2. « Tu » ou « Vous » ?

Classez les mots dans le tableau.

et toi ? et vous ? oui salut ça va
tu vas bien ? vous allez bien ? enchanté
madame monsieur votre merci
excusez-moi excuse-moi vous pouvez
s'il vous plaît s'il te plaît c'est moi

TU	VOUS
et toi ?	*et vous ?*
oui	*oui*

B Rencontres

1. Comment allez-vous ?

a. Complétez avec les mots suivants :

oui / toi / moi / votre / êtes / parlez / pouvez / vas / va / allez

1. – Tu _____ bien ?

– Oui, et _____ ?

2. – Vous _____ bien ?

– Ça _____, merci.

3. – Vous _____ Léo Maçon ?

– Oui, c'est _____.

4. – Vous _____ épeler _____ nom ?

– M.A.C cédille.O.N.

5. – Vous _____ français ?

– _____, un peu.

b. **Écoutez. Répétez.**

2. Vous pouvez épeler ?

 Écoutez. Répétez.

A B C D E F G H I J K L M N O P Q R S T U V W X Y Z

é = E accent aigu	ç = C cédille
è = E accent grave	- = tiret
ê = E accent circonflexe	' = apostrophe
ll = deux L	. = point

👥 **JOUEZ À DEUX**

• A : Consultez le dossier 2 page 120.

• B : Consultez le dossier 10 page 122.

3. À vous !

👥 **JOUEZ À DEUX**

Pratiquez à deux les dialogues de la page 12.
Parlez en votre nom.
Dialogue 1
– *Vous êtes monsieur/madame ?*
– *Je suis (votre nom).*
– *Etc.*

> Salut, tu vas bien ?

> Ça va, et toi ?

> Vous allez bien ?

> Bien, bien, et vous ?

GRAMMAIRE

Le présent de l'indicatif

Parler : tu parles, vous parlez
Aller : tu vas, vous allez
Être : tu es, vous êtes
Pouvoir : tu peux, vous pouvez

PHONÉTIQUE

L'intonation descendante et ascendante

 Écoutez. Répétez.

1. – Paul ?

– Oui.

– C'est Paul ?

– C'est Paul.

– Paul Dupont ?

– Paul Dupont.

2. – C'est toi ?

– C'est moi.

– C'est Lise ?

– C'est Lise.

– Ça va ?

– Ça va.

Pour aller plus loin

→ *Phonétique n° 23, page 145*

A Entreprises

Vous connaissez certainement ces entreprises

a. Répondez, comme pour Huawei.

Vous connaissez Huawei ?
C'est une entreprise chinoise,
elle fait des téléphones.

Vous connaissez Swatch ?

_____

_____

Michelin ?

_____

_____

b. Complétez avec les mots suivants :

Airbus / Adidas / Toyota / McDonald / L'Oréal

🎧 **17 Puis écoutez pour vérifier.**

1. _____ est une entreprise française.
   Elle vend des produits de beauté.

2. _____ est une entreprise européenne.
   Elle fait des avions.

3. _____ est une entreprise japonaise.
   Elle fait des voitures

4. _____ est un restaurant américain.
   Il vend des hamburgers.

5. _____ est une entreprise allemande.
   Elle vend des articles de sport.

c. 🎤 **À vous ! Présentez deux entreprises de votre pays.**

1. _____

_____

2. _____

_____

GRAMMAIRE

Le présent de l'indicatif

Travailler : je travaille, elle travaille, vous travaillez
Faire : tu fais, il fait, nous faisons, vous faites
Vendre : je vends, il vend, nous vendons
S'appeler : je m'appelle, il s'appelle

Complétez.
FANNY : « Bonjour, je _____ Fanny, je
t_____ pour une petite entreprise, elle
_____ Infotix. Nous f_____
des jeux vidéo. Mon mari _____ Pierre.
Il f_____ des chocolats.
Il v_____ les chocolats sur Internet.
Et vous ? Vous t_____ où ?
Vous f_____ quoi comme métier ? »

Pour aller plus loin
→ *Exercices A et B, page 131*

B Professions

1. Qui est-ce ?

a. Complétez le dialogue avec *c'est* ou *il est*.
Puis écoutez pour vérifier.

> – Qui est-ce ?
> – _____ Pierre Dumas.
> – Qu'est-ce qu'il fait ?
> – _____ comptable.
> – Il travaille où ?
> – Chez Mobilis. _____ une entreprise française.
> Elle fait des meubles.

b. Regardez la photo.
C'est Vanessa Lopez.
Qu'est-ce qu'elle fait ?
Elle travaille où ?
Imaginez.

Vanessa Lopez est...

c. Écoutez Vanessa Lopez. En réalité, que fait-elle ?
Où travaille-t-elle ?

En réalité, Vanessa Lopez...

2. À vous !

 Mettez les répliques dans l'ordre.
Puis écoutez pour vérifier.

> ... **a.** Je suis vendeur.
> ... **b.** Je vends des stylos.
> *1* **c.** Vous travaillez où ?
> ... **d.** Oui, bien sûr. Qu'est-ce que vous faites chez Bic ?
> ... **e.** Qu'est-ce que vous vendez ?
> ... **f.** Je travaille chez Bic. C'est une entreprise française.
>   Elle vend des stylos. Vous connaissez Bic ?

👥 JOUEZ À DEUX

Pratiquez à deux un dialogue similaire.
— Vous travaillez où ?
— Je travaille...

Qui est-ce ?

C'est Pierre.	**C'est** Sarah.
C'est un avocat.	**C'est une** avocate.
Il est u̶n̶ avocat.	**Elle est** u̶n̶e̶ avocate

Qu'est-ce que c'est ?

C'est un stylo.

Ce sont des stylos.

PHONÉTIQUE

un/une + voyelle
La consonne -*er* finale

 Écoutez. Répétez.

1. C'est un épicier.
C'est une épicière.

2. C'est un infirmier.
C'est une infirmière.

3. Il est boulanger.
Elle est boulangère

4. Il est pâtissier.
Elle est pâtissière.

Pour aller plus loin
→ Phonétique n° 15, 16, pages 144, 145

5. Communiquer ses coordonnées

A Carte de visite

 Sur une carte de visite, vous trouvez :

– le nom et le prénom de la personne ;

– la fonction (responsable du personnel, directeur commercial, assistant, etc.) ou la profession (architecte, pilote, professeur, etc.) ;

– le nom de l'entreprise ;

– l'adresse : le numéro et le nom de la rue, la ville, le pays, le code postal, etc. ;

– l'adresse mail ;

– le numéro de téléphone.

a. Complétez les mentions manquantes.

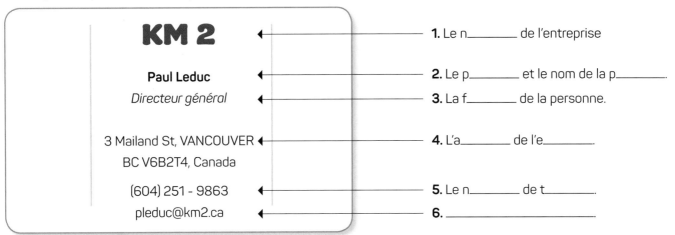

KM 2

Paul Leduc
Directeur général

3 Mailand St, VANCOUVER
BC V6B2T4, Canada

(604) 251 - 9863

pleduc@km2.ca

1. Le n_____ de l'entreprise

2. Le p_____ et le nom de la p_____.

3. La f_____ de la personne.

4. L'a_____ de l'e_____.

5. Le n_____ de t_____.

6. _____.

b. Choisir le bon article.

• *le, la, l', les.*

1. _____ assistante de monsieur Leduc.

2. _____ profession de son mari.

3. _____ architectes du château de Versailles.

4. _____ ville de Toronto.

5. _____ professeur de français.

6. _____coordonnées de l'entreprise KM2.

• *de, du, de la, de l', des.*

7. L'adresse _____ Paul Leduc.

8. Le mail _____ assistante du patron.

9. Le nom _____ responsables de la sécurité.

10. Le code _____ ville de Toronto.

11. Le travail _____ directeur.

12. Le numéro _____ avenue du Parc.

> **GRAMMAIRE**
>
> ### Les articles définis
>
> • **Le + nom masculin :** *le* numéro
> • **La + nom féminin :** *la* rue
> • **L' +** a, e, i, o, u, h muet. : *l'*adresse
> • **Les + nom pluriel :** *les* numéros, *les* adresses.
>
> ⚠ **Pour préciser :**
> L'adresse...
> – **de** monsieur Leduc / **de** Paul
> – **du** directeur (du = de + le)
> – **de** la société
> – **de** *l'*entreprise
> – **des** clients (des = de + les)
>
> ***Pour aller plus loin***
> → *Exercices A et B, page 126*

B Vos coordonnées

1. Vous posez des questions.

a. Complétez avec l'adjectif *quel*.

1. _____ est le prénom de M. Leduc ?

2. Il travaille dans _____ entreprise ?

3. _____ est la fonction de M. Leduc ?

4. Il travaille dans _____ ville ?

5. Vous connaissez _____ villes du Canada ?

b. Regardez la carte de visite page 16.

Répondez aux questions ci-dessus.

2. Vous communiquez des numéros de téléphone et des adresses mails.

a. (23) Allez page 128. Écoutez et notez les nombres que vous entendez : 70, 71...

b. (24) Une femme veut parler à M. Leduc. Écoutez. Notez son numéro de téléphone.

– _____

c. (25) Écoutez la suite. Complétez l'email de la femme.

– _____ @wanadoo.fr

JOUEZ À DEUX

- **A :** Consultez le dossier 4 page 121.
- **B :** Consultez le dossier 11 page 123.

3. À vous ! Complétez la fiche de renseignements.

```
FICHE DE RENSEIGNEMENTS

Nom et prénom : _____

Profession : _____

Adresse : - N° : _____ Rue : _____

          - Code postal : _____ Ville : _____

          - Pays : _____

- Téléphone : _____

- Courriel : _____
```

JOUEZ À DEUX

Communiquez ces renseignements à votre voisin(e). Notez ceux de votre voisin(e).

GRAMMAIRE

L'adjectif interrogatif *quel*

	Singulier	*Pluriel*
Masculin	quel	quels
Féminin	quelle	quelles

Pour aller plus loin
→ *Grammaire n° 4, page 132*

COMMENT DIRE

Le numéro de téléphone et l'adresse mail

• Des chiffres...

En France, les numéros de téléphone ont dix chiffres et se lisent deux par deux.

Mon numéro, c'est le 02 71 75 81 92 : zéro deux, soixante et onze, soixante-quinze, quatre-vingt un, quatre-vingt douze.

• ... et des lettres

Vous pouvez épeler, s'il vous plaît ?

Ça s'écrit comment ?

Vous pouvez répéter, s'il vous plaît ?

G comme Georges, J comme Jacques, etc.

⚠ @ = « arrobas »

Mon mail, c'est jean-paul.brun@hsbc.fr · J, E, A, N, tiret, P, A, U, L, point, B comme Bernard, R, U, N comme Nicolas, arobase, H, S, B, C, point, F, R.

PHONÉTIQUE

[ə]-[e] : LE-LES

(26) **Écoutez. Répétez.**

1. le/les – de/des – ce/ces – me/mes

2. le directeur/les directeurs

3. le pays/les pays

4. le responsable/les responsables

5. le professeur/les professeurs

6. le numéro de téléphone

7. le nom et le prénom

8. les coordonnées de monsieur Leduc

Pour aller plus loin
→ *Phonétique n°1, page 143*

Faire le point

A Vocabulaire

1. 🎧 (27) **Choisissez la bonne réponse. Puis écoutez pour vérifier.**

1. Bonjour !
☐ **a.** Salut, tu vas bien ?
☐ **b.** Au revoir !

2. Vous allez bien ?
☐ **a.** Et toi ?
☐ **b.** Un instant, s'il vous plaît.

3. Je vous présente Paul Beck.
☐ **a.** Enchanté.
☐ **b.** Ça va ?

4. Vous parlez français ?
☐ **a.** Non, je parle français.
☐ **b.** Oui, je suis français.

5. Vous êtes étudiant ?
☐ **a.** Non, je travaille.
☐ **b.** Oui, je suis avocat.

6. Vous habitez où ?
☐ **a.** À Paris.
☐ **b.** Chez IBM.

7. Vous êtes monsieur ?
☐ **a.** Dupont, Paul Dupont.
☐ **b.** Madame, monsieur, bonjour.

8. Quel est votre prénom ?
☐ **a.** Dupont.
☐ **b.** Je m'appelle Paul.

9. N comme Nicolas ?
☐ **a.** Non, M comme Martin.
☐ **b.** Oui, Nicola sans « s ».

10. E accent aigu ?
☐ **a.** Non, c'est l'accent anglais.
☐ **b.** Non, c'est un accent grave.

11. Quelle est votre fonction ?
☐ **a.** Je travaille chez IBM.
☐ **b.** Je suis directeur commercial.

12. Voici les coordonnées de Michèle.
☐ **a.** Merci.
☐ **b.** Excusez-moi.

2. Complétez.

1. Max est ... en mécanique.
2. Il ... chez Peugeot.
3. Il a 29 ...
4. Il habite 17 ... Diderot.
5. Dans quel ... ? – En France.
6. Dans quelle ... ? – À Sochaux.
7. Peugeot fait des ....
8. C'est une ... automobile.

I N G É N I E U R

—— —— —— —— —— —— —— —— ——
—— —— ——
—— —— ——
—— —— —— ——
—— —— —— ——
—— —— —— —— —— —— —— ——
—— —— —— —— —— —— —— —— —— ——

3. Complétez

1. deux, quatre, six, huit, _____
2. trois, deux, un, _____
3. huit cents, neuf cents, _____
4. onze, douze, treize, quatorze, _____
5. 699 (six cent quatre _____ dix-neuf)

4. Supprimez l'intrus.

1. email / ~~chaussure~~ / téléphone / adresse
2. comptable / cuisinier / caissier / client
3. s'il vous plaît / merci / pays / pardon
4. avion / voiture / bus / ordinateur
5. américain / russe / arabe / français

B Grammaire

1. Mettez les mots dans l'ordre.

1. à / Vous / habitez / Paris ? → ***Vous habitez à Paris ?***

2. professeur / Leduc / est / Madame / de / français.

3. production / chez / est / Monsieur Suzuki / directeur / de / la / Toyota.

4. et / Ça / merci, / bien, / va / vous ?

5. Vous / du / de / connaissez / téléphone / le / numéro / directeur ?

6. vous / Excusez-moi, / épeler / de / la / le / nom / ville, / pouvez / s'il vous plaît ?

2. Homme ou femme ?

	H	F			H	F
1. Elle est comptable.	❏	❏	**4.** C'est un artiste.		❏	❏
2. Je suis américain.	❏	❏	**5.** Il va bien, merci.		❏	❏
3. Vous êtes la vendeuse ?	❏	❏	**6.** Vous êtes portugais ?		❏	❏

3. 🎧 **28** **Choisissez la bonne réponse. Puis écoutez pour vérifier.**

1. Catherine parle russe et _____.

❏ **a.** anglaise   ❏ **c.** italienne

❏ **b.** chinois   ❏ **d.** espagnols

2. Elle _____ 32 ans.

❏ **a.** est   ❏ **c.** a

❏ **b.** suis   ❏ **d.** ai

3. Qui est-ce ? – C'est _____.

❏ **a.** Paul Beck   ❏ **c.** la tour Eiffel

❏ **b.** un hôtel   ❏ **d.** Paris

4. Ce _____ des amis.

❏ **a.** ai   ❏ **c.** est

❏ **b.** es   ❏ **d.** sont

5. _____ est le nom de la rue ?

❏ **a.** Quelle   ❏ **c.** Quel

❏ **b.** Quelles   ❏ **d.** Quels

6. Vous connaissez la profession _____ madame Kilani ?

❏ **a.** du   ❏ **c.** de la

❏ **b.** de l'   ❏ **d.** de

7. C'est _____ assistante du directeur.

❏ **a.** l'   ❏ **b.** la

8. Tu connais _____ coordonnées de Paul ?

❏ **a.** des   ❏ **c.** une

❏ **b.** les   ❏ **d.** la

4. Complétez avec les verbes suivants :
   s'appeler, connaître, être (2 X), faire, travailler, vendre (2 X).

A : Bonjour, Pierre, vous travaillez où ?

B : Je travaille à Paris, à la Librairie du Soleil, vous _____ ?

A : Non, désolé. Qu'est-ce que vous _____ dans cette librairie ?

B : Je _____ vendeur. Je _____ des livres d'art.

Il _____ Pierre. Il _____ dans une librairie.

Il _____ vendeur. Il _____ des livres.

C Écouter

1. 🎧29 **Écoutez et soulignez les mots que vous entendez.**

1. salut – merci – vous êtes – oui – je suis – enchantée

2. bonjour – excusez-moi – vous faites – je travaille – voilà – vous travaillez

3. allô – madame – monsieur – comment – c'est moi – s'il vous plaît

4. vous – numéro – le – 0 – 54 – 21

5. pardon – c'est – entreprise – française – des – je

2. 🎧30 **Écoutez et cochez la bonne réponse.**

	1	2	3	4	5	6	7	8
masculin								
féminin	✔							

3. 🎧31 **Écoutez et dites si c'est une question ou une réponse.**

	1	2	3	4	5	6	7	8
question								
réponse								

4. 🎧32 **Écoutez et cochez la phrase que vous entendez.**

1. ☐ **a.** Elle connaît le responsable.   ☐ **b.** Elle connaît les responsables.

2. ☐ **a.** Voilà le billet.   ☐ **b.** Voilà les billets.

3. ☐ **a.** Il travaille dans le bar.   ☐ **b.** Il travaille dans les bars.

4. ☐ **a.** Elle fait le gâteau.   ☐ **b.** Elle fait les gâteaux.

5. ☐ **a.** J'ai le livre.   ☐ **b.** J'ai les livres.

5. 🎧33 **Lisez l'extrait du CV de Rui Tavares. Puis écoutez Julie Vidal et complétez son CV.**

Rui TAVARES
65, rue Bonnel
69003 LYON
04 78 60 07 22
ruitavares@felix.eu

marié, 28 ans,
de nationalité portugaise

Expérience professionnelle
Depuis 2009
CUISINES DESBOIS, Paris
Menuisier

Julie VIDAL
_____ rue Velpeau
92 _____ ANTONY
01 49 56 _____
j.vidal@_____.com

célibataire, _____ ans
de nationalité _____

Expérience professionnelle
Depuis 2021 ASSURANCES
MG_____, Paris
Assistante de direction

D Lire

1. (🎧 34) **Lisez l'article ci-contre sur Paula Montero ou écoutez. Dites si les informations suivantes sont vraies ou fausses.**

1. Paula Montero travaille chez Fimex.

2. Elle travaille à York, en Angleterre.

3. Fimex est une banque.

4. Paula Montero est espagnole.

5. Elle a 27 ans.

6. Elle est célibataire.

7. Elle est responsable des marchés asiatiques.

8. Daniel Buffet travaille chez Fimex.

E 🖊 Écrire

2. Imaginez un texte sur Daniel Buffet.

FIMEX

Daniel Buffet

Daniel Buffet _____

_____

_____

_____

_____

_____

F Parler

3. Regardez le CV de Rui Tavares, page 20.

1. De quelle nationalité est-il ?

2. Quel est son numéro de téléphone ?

3. Quel est son email ?

4. Quelle est son adresse ?

5. Pouvez-vous épeler le nom de la rue ?

6. Autre chose ?

ENTREPRISES

FIMEX
Paula Montero

Paula Montero est nommée responsable du marché français de la société Fimex.

Elle remplace Daniel Buffet, nommé directeur commercial, responsable du marché mondial. De nationalité espagnole, Paula Montero est titulaire d'un MBA de l'université de York (Grande Bretagne). Elle est mariée et mère de deux enfants. Entrée à 27 ans chez Fimex, elle a travaillé cinq ans à Montreuil, dans la principale usine de Fimex. Elle travaille maintenant au siège social de la société, à Paris.

4. Présentez Daniel Buffet oralement.

Rappelez les informations de l'exercice 2. Donnez librement son numéro de téléphone, son mail, son adresse et toute autre information.

5. À vous !

Présentez-vous en moins de deux minutes.

Vous êtes dans un jardin public, à Paris. Vous vous asseyez sur un banc public, à côté de cette personne. Vous engagez la conversation.

a. 🎧 35 **Lisez les questions suivantes ou écoutez. Pendant les cinq premières minutes de conversation, pouvez-vous poser ces questions ?**

	OUI	NON		OUI	NON
1. Vous parlez français ?	❑	❑	**11.** Vous avez des enfants ?	❑	❑
2. Vous êtes française ?	❑	❑	**12.** Vous êtes catholique ?	❑	❑
3. Ça va bien ?	❑	❑	**13.** Vous aimez votre mari ?	❑	❑
4. Tu habites où ?	❑	❑	**14.** Vous votez pour qui ?	❑	❑
5. Vous gagnez combien ?	❑	❑	**15.** Vous avez un numéro de téléphone ?	❑	❑
6. Vous avez quel âge ?	❑	❑	**16.** Vous vous appelez comment ?	❑	❑
7. Vous faites quoi dans la vie ?	❑	❑	**17.** Vous pouvez épeler votre nom ?	❑	❑
8. Vous travaillez où ?	❑	❑	**18.** Vous mangez des escargots ?	❑	❑
9. Vous aimez votre travail ?	❑	❑	**19.** Vous aimez mon chapeau ?	❑	❑
10. Vous êtes mariée ?	❑	❑	**20.** Vous allez au cinéma ?	❑	❑

b. Quelles autres questions pouvez-vous poser ?

c. Quelles questions ne pouvez-vous pas poser ?

d. Comparez et discutez vos réponses.

1. En France, selon la situation, il y a plusieurs manières de saluer.

Je lève le bras ou je hoche la tête

Je serre la main

Je fais des bises

• **Vous pouvez dire :**

Bonjour (madame/monsieur)	Bonsoir (monsieur/madame Martin)	Bonjour (Jacques/Alice)	Salut (Paul/Lisa)

• **Vous pouvez écrire :**

Salut Antoine, As-tu le mail de madame...	**Bonjour Julie,** J'espère que tu vas bien...	**Bonjour madame Vic,** Je vous confirme notre...	**Madame, Monsieur,** Nous souhaitons vous...
Bonsoir Claude, Merci de votre réponse. ...	**Monsieur,** J'ai le regret de vous...	**(Mon) cher Arthur, (Ma) chère Julie,** Excuse-moi pour ma...	**Monsieur le Directeur,** Vous trouverez ci-joint le...

• **Vous pouvez tutoyer (dire « tu ») ou vouvoyer (dire « vous »).**

Je dis « tu » à la plupart de mes collègues. Je dis « vous » aux collègues âgés, à mon chef, aux clients.	Je dis « tu » à mes amis, aux membres de ma famille, aux enfants. En général on dit « vous » aux gens qu'on ne connaît pas ou pas bien.

2. 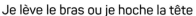 À vous !

a. Vous êtes en France. Comment saluez-vous dans les situations suivantes ? Vous dites « tu » ou « vous » ?

1. Vous croisez votre directeur.
Je lui serre la main. Je dis « Bonjour monsieur ».
Je le vouvoie.

2. Vous entrez dans un taxi.

3. Vous rencontrez un client.

4. Vous retrouvez une bonne amie.

5. Vous faites la connaissance d'un nouveau collègue.

b. Vous envoyez un mail.

Comment saluez-vous les personnes suivantes ?

Vous écrivez à :

1. votre ami Thomas : *Mon cher Thomas,*

2. votre amie Charlotte : _____

3. Mme Robin, une cliente : _____

4. votre proche collègue Luc : _____

5. la société KM3 : _____

c. Vous êtes dans votre pays. Traitez-vous différemment les situations des exercices a et b ?

unité 2

Objets

1. Utiliser des objets

A Objets identifiés

Voici quelques objets de Rose Domino, une femme d'affaires française .

Associez les mots aux photos.

 **1**

 **2**

 **3**

 **4**

 **5**

 **6**

 **7**

 **8**

 **9**

 **10**

 **11**

 **12**

6 Un passeport

... Un téléphone

... Une carte bancaire

... Une clé

... Un sac à main

... Des ciseaux

... Des lunettes

... Un stylo

... Un portefeuille

... Des écouteurs

... Une tasse

... Un verre

B Objets utiles

1. Rose Domino part en voyage

a. 🎧(36) Complétez avec *mon*, *ma*, *mes*.
Puis écoutez pour vérifier.

Rose Domino : « J'ai **mon** passeport, *ma* carte bancaire, *mes* clés, *mes* lunettes, *mon* stylo, *mon* téléphone. »

b. De quoi a-t-elle besoin ? Trouvez l'objet. Utilisez un adjectif possessif.

Pour :

1. ouvrir sa porte : *elle a besoin de ses clés*.

2. signer son contrat : *elle a besoin de son stylo*

3. couper un papier : *elle a besoin des ses ciseaux*

4. lire son journal : *elle a besoin de ses lunette*

5. payer sur Internet : *elle a besoin de sa carte bancair*

6. envoyer un texto : *elle a besoin de son portable*

c. Cochez ✔ si on peut utiliser son téléphone portable pour :

- ☑ téléphoner.
- ☐ prendre l'avion.
- ☐ planter un clou.
- ☐ regarder la météo.
- ☐ lire son livre.
- ☐ regarder un film.
- ☐ aller au restaurant.
- ☐ faire des photos.
- ☐ vérifier l'heure et la date.
- ☐ consulter son agenda.
- ☐ jouer aux échecs.
- ☐ repasser sa chemise.

2. 🎧(37) Karl Meyer, un homme d'affaires allemand vivant en France, cherche quelque chose. Écoutez trois dialogues et complétez.

1. Karl veut des _____ pour couper une feuille de_____.

2. Il a besoin d'une _____ pour boire son _____.

3. Il cherche un _____ pour mettre son _____.

 JOUEZ À DEUX

Demandez à votre voisin(e) pour quoi il utilise son téléphone. Faites la liste.

Il/Elle utilise son téléphone pour :
– téléphoner,
– faire des photos,
– etc.

GRAMMAIRE

Les adjectifs possessifs (1)

1. Le nom est singulier
Un sac → **mon** sac, **ton** sac, **son** sac
Une clé → **ma** clé, **ta** clé, **sa** clé
⚠ **mon**, **ton**, **son** + a, e, i, o, u, h muet :
mon adresse, **ton** orange, **son** image

2. Le nom est pluriel
Des sacs → **mes** sacs, **tes** sacs, **ses** sacs
Des clés → **mes** clés, **tes** clés, **ses** clés

GRAMMAIRE

Le but :
pour + infinitif

– *J'ai besoin de mon téléphone.*
– *Pour quoi faire ?*
– *Pour téléphoner*

PHONÉTIQUE

Le « e » final

🎧(38) Écoutez. Répétez.

timbre – montre – voyage – poche – porte –
portefeuille – tasse – boîte – carte bancaire –
elle cherche sa montre - une pièce de monnaie –
le mal de tête – le passeport de Pierre Roche.

Pour aller plus loin
→ *Phonétique n°17, page 145*

A Posséder

1. Il a tout pour être heureux.

a. **Lisez ou écoutez.**

J'ai un téléphone haut de gamme.
Une voiture électrique, un vélo de course.
Je fais des haltères le matin.
J'ai des écouteurs dans les oreilles.
J'écoute Cœur De Pirate.
Je bois des vins bios.
Je porte un costume Hugo Boss.
Je mets des cravates de chez Dior.
Ma femme a une robe Kenzo.
J'aime son rouge à lèvres.
Nous avons une maison de campagne.
Je bricole avec Paul, j'ai les bons outils.
Un tournevis, une pince, un marteau.
En été nous prenons des vacances à Cancún.

b. **Imaginez le personnage contraire.**
Mettez les phrases ci-dessus à la forme négative.
Écoutez pour vérifier.
Je n'ai pas de téléphone haut de gamme...

c. Transformez les phrases de l'exercice 1 en questions.
Utilisez *est-ce que*.
Est-ce que vous avez un téléphone haut de gamme ?

2. On ne peut pas tout avoir.
a. Complétez avec le verbe *avoir*.
Répondez à la dernière question.

1. Pierre et Marie, vous _____ une voiture ?

– Oui, nous _____ une grosse voiture.

2. Pierre et Marie _____ une Mercedes.

3. Et toi, Jacques, tu _____ une voiture ?

4. Jacques _____ un vélo.

5. Et vous, qu'est-ce que vous _____ ?

b. Complétez encore.

1. Pierre a une chemise, mais il n'a _____ cravate.

2. Pierre et Marie ont une machine à laver, mais _____ n'ont _____ aspirateur.

3. Pierre a le temps de lire, mais Marie n'a _____ temps.

4. Jacques dit : « J'ai _____ marteau, mais _____ n'ai _____ tournevis. »

GRAMMAIRE

Le verbe *avoir*
Questions et négations

1. Conjuguer au présent.

j'ai	nous avons
tu as	vous avez
il/elle a	ils/elles ont

2. Poser une question.
- *Vous avez un vélo ?* (Familier)
- *Est-ce que vous avez un vélo ?* (Courant)
- *Avez-vous un vélo ?* (Soutenu)

3. Répondre négativement.
• **Avec *le*, *la*, *les***
- *Vous avez **la** télévision ?*
- *Non, je **n'ai pas la** télévision.*

• ***Avec un, une, des***
- *Vous avez **une** voiture, **un** ordinateur, **des** actions ?*
- *Non, je **n'ai pas de** voiture, **pas d'**ordinateur, **pas d'**actions.*

Pour aller plus loin
→ *L'interrogation, point 1 page 132*
→ *La négation, exercices A, B page 133*

JOUEZ À DEUX

À tour de rôle, posez des questions à votre voisin(e) et répondez. Dans les questions, utilisez *est-ce que*. Donnez des réponses complètes :
– *Est-ce que tu as un vélo ?*
– *Non, je n'ai pas de vélo.*

B Acheter

1. Une cliente entre dans une librairie.

41 Écoutez ou lisez. Qu'est-ce que la cliente achète ?
Pour quel prix ?

> *Vendeur :* Bonjour, madame, vous désirez ?
> *Cliente :* Bonjour, est-ce que vous avez *Les Misérables*, de Victor Hugo ?
> *Vendeur :* Oui, bien sûr.
> *Cliente :* C'est combien ?
> *Vendeur :* 17, 20 euros.
> *Cliente :* 17, 20 euros ! C'est cher. Vous n'avez pas moins cher ?
> *Vendeur :* Si, bien sûr, nous avons la version en livre de poche.
> *Cliente :* C'est combien ?
> *Vendeur :* 3,70 euros.
> *Cliente :* Je prends le poche.

2. Entraînez-vous !

a. **42** Voici les réponses. Écrivez les questions. Utilisez la forme familière. Puis écoutez et répétez. Respectez l'intonation.

1. – *Vous ne connaissez pas Rabelais ?*
   – Si, je connais bien Rabelais.
2. – _____ ?
   – Si, bien sûr, j'ai un ordinateur.
3. – _____ ?
   – Si, nous aimons beaucoup le théâtre.
4. – _____ ?
   – Si, je porte des lunettes.
5. – _____ ?
   – Si, si, j'aime beaucoup le café.
6. – _____ ?
   – Si, nous avons un modèle à 99, 99 €.

b. Faites l'exercice A page 128.

c. **43** Un client achète une cravate. Écoutez.
Combien coûte la cravate ?

 **JOUEZ À DEUX**

Pratiquez à deux le dialogue de l'exercice 1. Imaginez des produits (meubles, vêtements, etc.) et des prix compris entre 100 et 1000 euros.

▶ **GRAMMAIRE**

La question négative

On peut répondre « si » ou « non ».
Vous **n'**avez **pas** la télévision ?
– **Si**, j'ai la télévision.
– **Non**, je n'ai pas la télévision.

▶ **PHONÉTIQUE**

L'élision
je → j'... / le → l'...
de → d'... / ne → n'...

44 Écoutez. Répétez.

1. J'ai l'argent.
2. J'habite à l'hôtel.
3. Je n'ai pas d'argent.
4. Elle n'aime pas l'hôtel.
5. Ils n'ont pas d'adresse.

La liaison en [z]

45 Écoutez. Marquez les liaisons en [z]. Répétez.

1. *Vous‿écoutez les‿informations.*
2. Nous achetons des oranges.
3. Elles aiment les histoires.
4. Ils ont des enfants.
5. Vous avez des idées.
6. Nous avons des amis.

3. Situer des objets

A Objets ici et là

Regardez, c'est le bureau de Pierre Roche, le directeur de KM1.
Quel désordre, n'est-ce pas ?

a. **Lisez ou écoutez. Vrai ou faux ?**

Il y a :

1. des étagères à droite du bureau : *Vrai*

2. des ciseaux sur l'étagère du milieu.

3. un peigne par terre, sous la chaise.

4. une étagère au-dessous du radiateur.

5. des clés entre la cafetière et la tasse.

6. un parapluie dans le carton, sous la fenêtre.

7. des lunettes dans le tiroir du haut.

8. des fleurs dans un vase, par terre, à gauche du radiateur.

b. Complétez.

Il y a :

1. une porte *à gauche*.

2. une montre _____ le bureau.

3. une chaise _____ la porte et le bureau.

4. des gants _____ le bureau.

5. un marteau _____ le carton.

6. une serviette en cuir par terre, à c_____ de la chaise.

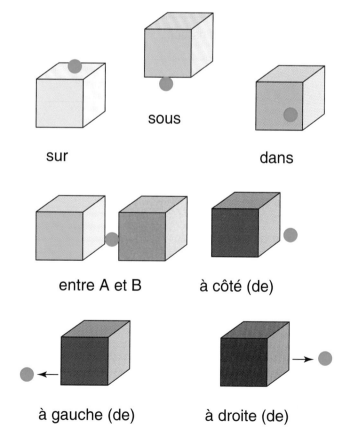

sur

sous

dans

entre A et B

à côté (de)

à gauche (de)

à droite (de)

B Objets ici et là

1. Regardez le dessin page 28.

a. Trouvez une question possible.

1. – *Qu'est-ce qu'il y a par terre, à droite du bureau ?*

    – Il y a une corbeille à papiers.

2. – _____ ?

    – Il y a un bloc notes.

3. – _____ ?

    – Il y a une cafetière et une tasse.

4. – _____ ?

    – Il y a une imprimante et une photo.

5. – _____ ?

    – Il y a un vieux téléphone portable.

6. – _____ ?

    – Il y a trois classeurs.

7. – _____ ?

    – Il y a une lampe, un ordinateur, une montre.

b. Dites où se trouvent les objets suivants.

Il y a :

– des feuilles de papier *sur le bureau*.

– un stylo _____

– un livre de maths _____

– une veste _____

– une raquette de tennis _____

c.  **Pierre Roche cherche quelque chose. Écoutez. Quels objets cherche-t-il ? Où se trouvent ces objets ?**

Il cherche :

– *son journal, qui se trouve dans sa sacoche.*

– *sa sacoche, qui* _____

– son _____

– son _____

2. À vous !

👥 **JOUEZ À DEUX**

À tour de rôle, demandez à votre voisin(e) s'il y a tel ou tel objet dans son bureau et où l'objet se trouve. *Est-ce qu'il y a des ciseaux dans ton/votre bureau ? Où est-ce qu'ils se trouvent ?*

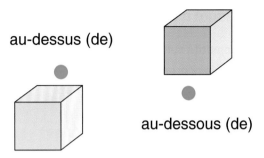

au-dessus (de)

au-dessous (de)

GRAMMAIRE

Il y a

« il y a » est invariable

***Qu'est-ce qu'il y a** sur la table ?*

***Il y a** un ordinateur sur la table.*

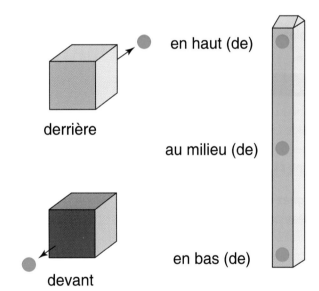

en haut (de)

derrière

au milieu (de)

devant

en bas (de)

PHONÉTIQUE

Voyelles orales et nasales

🎧 **Écoutez. Répétez.**

bas/banc – lit/lin – lot/long – sa/sang – si/sain – sot/son – la/lent – dé/do – dit/dans – local – ma/ment – imprimante – lapin – les gants sont dans le grand sac – là, en bas, devant la lampe.

Pour aller plus loin
→ *Phonétique n° 4, page 143*

4. Décrire des objets

A C'est comment ?

1. On peut décrire des objets avec des adjectifs qualificatifs.

a. Écrivez les adjectifs suivants sous les dessins.

vide, rapide, froid, mince, bas, lourd, nouveau, long.

léger ≠ _____

haut ≠ _____

plein ≠ _____

lent ≠ _____

épais ≠ _____

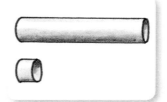

court ≠ _____

ancien ≠ _____

chaud ≠ _____

b. Complétez avec un adjectif de couleur.

jaune	vert	blanc
rouge	noir	bleu

1. Il fait beau, le ciel est _____.

2. La neige est _____.

3. Les cerises sont _____.

4. J'ai une plante _____ dans mon bureau.

c. Soulignez l'adjectif correct.

1. Sa valise est lourd / ***neuve*** / vides.

2. Ses tiroirs sont pleins / ouverte / fermée.

3. Il porte une chemise blanc / bleu / légère.

4. La rue est bruyante / calmes / anciennes.

5. Les carottes sont petit / cuites / belle.

d. 🎧 49 **Mettez dans l'ordre. Puis écoutez pour vérifier.**

1. Je / thé / un / chaud / voudrais

2. Elle / une / rapide / voiture / a

3. Vous / une / maison / avez / belle

4. Elle / les / longues / robes / aime / n' / pas

5. Tu / belle / noire / portes / veste / une

2. À vous !

Pensez à des objets. Décrivez ces objets avec des adjectifs.

Noémie a un beau chapeau blanc.

La rue Vavin est une petite rue tranquille.

GRAMMAIRE

Les adjectifs qualificatifs

1. Masculin / féminin

• En général, on ajoute un « **e** » au féminin.
Ex. : *grand / grand**e***.

• Mais il y a des exceptions.
Ex. : *bon / bo**nne**, neuf / ne**uve**, léger / lég**ère**, beau / **belle**, blanc / **blanche**, vieux / **vieille***

2. Singulier / pluriel

• En général, on ajoute un « **s** » au pluriel.
Ex. : *vide / vide**s***.

• Mais il y a des exceptions.
Ex. : *nouv**eau** / nouv**eaux**, nation**al** / nation**aux***

3. Place de l'adjectif

• En général, on place l'adjectif <u>après</u> le nom :
*un restaurant **bruyant**.*

• Mais il y a des exceptions.
Ex. : *bon, petit, beau, long → un **bon** gâteau, une **petite** chaise, un **beau** gâteau, un **long** discours..*

Pour aller plus loin
→ *Exercices B et C, page 127*

B Qu'est-ce qu'il manque ?

Il manque quelque chose.

a. Complétez les phrases. Choisissez deux mots dans la liste suivante :

voiture / maison / toit / selle / roue / vélo

Il manque *la selle*

Il manque le _____

Il manque les _____

b. 🎧 50 **Lisez le mail de Fanny ou écoutez.**

À qui écrit-elle ? À quel sujet ? Quel est le problème ?

✈ ≣▾   🖉 A ▢ 🗒

De : Fanny Lacoste
À : Mathieu Babin
Objet : Catalogue

Bonjour Mathieu,
Dans le nouveau catalogue, il manque des informations
concernant la sacoche en cuir. Quelle est la référence ?
Quel est le prix ? Quelle est la marque ? Quelles sont les
couleurs disponibles ?
Merci pour ta réponse rapide.
Fanny

---

c. 🎧 51 **Lisez la réponse de Mathieu. Écoutez.**

Complétez les mentions manquantes.

✈ ≣▾   🖉 A ▢ 🗒

Objet : RE : Catalogue

Bonjour Fanny,
La référence de la sacoche est TRH _____ La marque est
_____. Le prix est de _____ euros. La sacoche est
disponible en _____ couleurs : rouge, vert, _____.
Mathieu

👥 **JOUEZ À DEUX**

- **A :** Consultez le dossier 7 page 122.
- **B :** Consultez le dossier 17 page 124.

COMMENT DIRE

Les chiffres

8 210 560 000 : huit **milliards** deux **cent** dix **millions** cinq **cent** soixante **mille**

Écrivez en lettres.
12 210 570 150 : _____

_____

Pour aller plus loin
→ *Exercices B, C, page 128*

PHONÉTIQUE

Liaisons et enchaînements en [t]

🎧 52 **Écoutez. Marquez les liens en [t]. Répétez.**

1. *La maison est‿ancienne.*
2. C'est un petit hôtel.
3. La porte est ouverte.
4. Les clients sont américains.

---

[b]-[p] : BEAU- POT

🎧 53 **Écoutez. Répétez.**

1. bas/pas – bout/pou – beau/pot
2. C'est un beau bureau.
3. Un petit bureau.
4. Il est bleu et blanc.
5. Propre, un peu bruyant.
6. La porte est épaisse.
7. Le bureau de Pablo.

Pour aller plus loin
→ *Phonétique n° 7, 8, 9, page 144*

A Comparaisons

Regardez ces deux ordinateurs.

J30

G20

a. Vrai ou faux ?

Le J30 est :

1. plus récent que le G20.

2. moins rapide que le G20.

3. aussi lourd que le G20.

4. plus pratique que le G20.

5. meilleur marché que le G20.

b. Comparez le J30 au G20.

Continuez la phrase ci-dessous avec les adjectifs suivants :

moderne / efficace / léger / gros / bon.

Utilisez des superlatifs.

Le J30 est le plus moderne, le...

c. **ATTENTION ! Les phrases suivantes sont** *grammaticalement* **incorrectes.**

Corrigez les fautes. Puis écoutez pour vérifier.

1. Le G20 est l'ordinateur moins puissant.

2. L'ordinateur moins cher est le G20.

3. Le G20 est le plus vieux que le J30.

4. Le J30 a le plus bon graphisme.

5. Le G20 et le G20X sont le modèle plus récent de la gamme G.

6. Le G20 est aussi puissant comme le G20X.

7. Le J30 est l'ordinateur la plus facile à transporter.

> ## GRAMMAIRE
>
> ### Comparatifs et superlatifs
>
> **1. Les comparatifs**
> - **plus** ... (adjectif)... **que**... (+)
> - **moins** ... (adjectif)... **que**... (-)
> - **aussi** ... (adjectif)... **que**... (=)
>
> ⚠ plus bon → meilleur
>
> *Un fauteuil est **plus** confortable **qu'**une chaise.*
> *Son vélo est **moins** rapide **que** ma moto.*
> *Les pommes sont **aussi** bonnes **que** les poires.*
> *Le J30 est **meilleur que** le G20.*
>
> **2. Les superlatifs**
> - **le/la/les plus** ... (adjectif) (+)
> - **le/la/les moins** ... (adjectif) (–)
>
> *C'est **le** journal **le plus** intéressant.*
> *C'est **la** tour **la plus** haute de la ville.*
> *Ce sont **les plus** belles lunettes de la boutique.*
> *Ce sont **les meilleures**.*
> *Quelle est **l'**imprimante **la moins** chère ?*
> *Le Louvre est **le** musée **le plus** connu de Paris.*
> *Londres et Berlin sont **les** villes **les plus** peuplées d'Europe.*
>
> ***Pour aller plus loin***
> → *Exercices A, B, C, D, page 134*

B Préférences

Chez Ordimax, un magasin informatique, un groupe de clients discutent.
Ils comparent le G20 et le J30.

 55 Complétez avec des pronoms.
Puis écoutez pour vérifier.

> A : _____ préfères quel ordinateur ?
>
> B : Le J30, bien sûr. Il est plus moderne que le G20.
> Et _____, qu'est-ce que tu préfères ?
>
> A : _____ aussi, je préfère le J30. J'ai besoin d'un
> portable, pas d'un ordinateur de bureau. Et _____,
> messieurs, qu'est-ce que _____ préférez ?
>
> C : Nous aussi, _____ préfère le J30. C'est le plus
> performant. Et puis, un portable, c'est plus pratique.

👥 JOUEZ À DEUX

À deux, écrivez le nom de :
– deux moyens de transport ;
– deux journaux ou magazines ;
– deux séries télévisées ;
– deux livres ;
– deux marques de voiture ;
– deux marques de smartphone ;
– deux autres objets de votre choix.

Puis discutez et faites des comparaisons. Écrivez
une ou deux phrases pour chaque objet. Mettez-
vous d'accord.
La voiture est plus dangereuse que l'avion.
*Le magazine Vogue est plus intéressant que
le Journal des Affaires.*

▶ GRAMMAIRE

Le pronom *on*

• *on* peut signifier *nous*.
On est à Paris. = Nous sommes à Paris.
⚠️ *Avec on, le verbe est toujours au singulier.*

Complétez librement avec un verbe.
1. Qu'est-ce qu'on _____ ce soir ?
2. On _____ au restaurant ?
3. Karl et moi, on _____ le même âge.
4. Désolé, on ne _____ pas.

Pour aller plus loin
→ *Exercices B, page 138*

▶ GRAMMAIRE

Les pronoms toniques

Moi, je préfère…	**Nous**, nous… /on…
Toi, tu…	**Vous**, vous…
Lui, il…	**Eux**, ils…
Elle, elle…	**Elles**, elles…

Complétez avec des pronoms.
1. (Paul) *Lui*, *il* préfère le grand.
2. (Léa et Marie) _____, _____ sont belles.
3. (Ana) _____, _____ est brésilienne.
4. (Luc et Paul) _____, _____ sont amis.

Pour aller plus loin
→ *Exercices B, page 138*

▶ PHONÉTIQUE

Le son [ʀ]

 56 **Écoutez. Répétez.**
1. Bonjour ! Bonsoir ! Au revoir !
2. Regardez, comparez, répondez.
3. Qu'est-ce que vous préférez ?
4. Une voiture rapide.
5. Un ordinateur performant.
6. Un journal intéressant.

Pour aller plus loin
→ *Phonétique n° 14, page 144*

Faire le point

A Vocabulaire

1. Qu'est-ce que c'est ?

C'est quelque chose...

1. pour s'asseoir

2. pour boire son café

3. pour savoir l'heure

4. pour imprimer

5. pour noter ses rendez-vous

une **C H A I S E**

une T __ __ __ __

une M __ __ __ __ __

une I __ __ __ __ __ __ __ __ __

un A __ __ __ __ __

2. Écrivez le contraire.

1. bon	≠ *mauvais*	**6.** silencieux	≠ _____
2. léger	≠ _____	**7.** plein	≠ _____
3. grand	≠ _____	**8.** rapide	≠ _____
4. chaud	≠ _____	**9.** ouvert	≠ _____
5. bon marché	≠ _____	**10.** en haut	≠ _____

3. Écrivez en chiffres

1. quatre cent soixante et onze : *471*

2. huit mille trois cent vingt-quatre : _____

3. seize mille cinquante et un : _____

4. soixante-dix mille trente : _____

5. un million cent mille : _____

6. dix milliards cent millions : _____

4. Écrivez en lettres.

– 999 : _____

– 12 266 : _____

– 15 587 : _____

– 3 321 000 000 : _____

5. C'est de quelle couleur ?

1. *La sacoche est noire.*

2. _____

3. _____

4. _____

5. _____

6. _____

B Grammaire

1. 🎧 57 **Mettez dans l'ordre. Puis écoutez pour vérifier.**

1. Il / le / dans / a / y / vertes / plantes / des / bureau

_____

2. sa / ses / cherche / ouvrir / clés / porte / Il / pour

_____

3. carnet / ai / de / pas / Je / d'adresses / n'

_____

4. avez / et un crayon / vous / s'il vous plaît / une feuille de papier / Est-ce que ?

_____

2. 🎧 58 **Trouvez l'adjectif. Puis écoutez pour vérifier.**

1. Le café	*Le café est délicieux*	chauds
2. La cravate	_____	performant
3. Le fauteuil	_____	excellente
4. Les gants	_____	*délicieux*
5. L'idée	_____	jolie
6. L'ordinateur	_____	confortable

3. Faites des compliments à un ami. Récrivez les phrases de l'exercice 2 avec un adjectif possessif.

1. *Ton café est délicieux.*

4. 🎧 59 **Choisissez la bonne réponse. Puis écoutez pour vérifier.**

1. Tu connais le code pour _____ ?
❏ entrer ❏ sortie ❏ démarré

2. Où sont _____ lunettes ?
❏ mon ❏ ma ❏ mes

3. Il n'aime pas _____ hôtel.
❏ son ❏ de ❏ le

4. – Vous n'avez pas de voiture ?
– _____, j'ai une Renault.
❏ Si ❏ Oui ❏ Non

5. Est-ce qu'il y _____ des ciseaux quelque part ?
❏ a ❏ ont ❏ sont

6. Tu _____ une gomme, s'il te plaît ?
❏ es ❏ as ❏ êtes

7. Il y a une gomme _____ le tiroir.
❏ sous ❏ sur ❏ dans

8. _____ qu'il y a dans votre poche ?
❏ Qui est-ce ❏ Qu'est-ce ❏ Est-ce

9. La bibliothèque de l'université est _____.
❏ nouveau ❏ ouverte ❏ bruyant

10. _____ manque une chaise dans la salle.
❏ Il ❏ Elle ❏ On

11. _____, ils vivent dans une grande maison.
❏ Ils ❏ Vous ❏ Eux

12. _____ , on vit dans un petit appartement.
❏ On ❏ Nous ❏ Moi

13. En général, une voiture neuve est _____ chère qu'une voiture d'occasion.
❏ aussi ❏ moins ❏ plus

14. Quelle est la ville _____ peuplée ?
❏ plus ❏ la plus ❏ le plus

15. Les exercices sont _____.
❏ faciles ❏ longues ❏ idiotes

16. Je n'aime pas _____ cinéma.
❏ le ❏ les ❏ de

C Écouter

1. 🎧 Cochez les mots que vous entendez.

a. Entendez-vous un « r » ?

1. ☐ **a.** parquet   ☐ **b.** paquet   4. ☐ **a.** finir   ☐ **b.** fini
2. ☐ **a.** argent   ☐ **b.** agent   5. ☐ **a.** brun   ☐ **b.** bain
3. ☐ **a.** boire   ☐ **b.** bois   6. ☐ **a.** pire   ☐ **b.** pie

b. Entendez-vous [a] comme dans « là » ou [ã] comme dans « lent » ?

1. ☐ **a.** là   ☐ **b.** lent   4. ☐ **a.** bac   ☐ **b.** banque
2. ☐ **a.** gars   ☐ **b.** gants   5. ☐ **a.** plate   ☐ **b.** plante
3. ☐ **a.** apportez   ☐ **b.** emportez   6. ☐ **a.** chat   ☐ **b.** champ

c. Entendez-vous [b] comme dans « bon » ou [p] comme dans « pont » ?

1. ☐ **a.** bon   ☐ **b.** pont   4. ☐ **a.** boisson   ☐ **b.** poisson
2. ☐ **a.** beau   ☐ **b.** pot   5. ☐ **a.** boire   ☐ **b.** poire
3. ☐ **a.** bière   ☐ **b.** pierre   6. ☐ **a.** imbécile   ☐ **b.** impossible

2. 🎧 Un client entre dans un magasin de vêtements. Écoutez et complétez le dialogue entre ce client et la vendeuse.

– Bonjour, monsieur. Je peux vous aider ?

– Oui, je _____ une chemise.

– Quelle sorte de chemise _____-vous ?

– Une chemise en coton, _____ et _____ La chemise _____ ici, elle _____ _____ ?

– _____ euros.

– C'est un peu _____ pour _____.

– Elle est très _____.

3. 🎧 Deux amis passent une commande sur Internet. Écoutez et complétez le bon de commande.

BON DE COMMANDE			
Désignation	Référence	Couleur	Prix unitaire
Fauteuil Pierrot	AJP............................	....	....
Lampe Camille	....	....	....

D Lire

1. Regardez la photo ci-contre. Dites si les affirmations suivantes sont vraies ou fausses.

1. Le personnage central est un homme.

2. Il est dans un bureau.

3. Il est assis à son bureau.

4. Il porte un costume marron.

5. Il porte une chemise bleue.

7. Les poches de sa veste sont pleines.

8. Il a un stylo dans la bouche.

9. Il n'a pas de chapeau sur la tête.

10. Il y a des étagères derrière lui.

E  Écrire

2. Écrivez cinq phrases sur cette photo.

1. _____

2. _____

3. _____

4. _____

5. _____

F Parler

3. Discutez à deux.

• **A :** Posez à B les questions paires.

• **B :** Posez à A les questions impaires.

1	2	3	4
Est-ce que vous portez des lunettes ? Si oui, pour quoi faire ?	Qu'est-ce que vous avez dans le tiroir de votre bureau ?	Qu'est-ce que vous préférez lire ? Un livre papier ou un livre numérique ?	Quels vêtements est-ce que vous aimez porter ?
5	**6**	**7**	**8**
Est-ce que vous avez des clés ? Combien ? Pour quoi faire ?	Vous partez pour la France. Qu'est-ce que vous mettez dans votre sac à main ?	Combien coûte : – un sac à main ? – la voiture neuve la moins chère ?	Quel cadeau est-ce que vous offrez à un bon client ?

Entre cultures : la gestion de l'espace

Camille Papin parle de son lieu de travail.

a. 🎧 Lisez et écoutez.

Bonjour, je m'appelle Camille Papin. Je travaille chez Fimex, dans un service administratif. Nous sommes 15 personnes dans le service et tout le monde travaille dans la même salle. On peut se déplacer et se parler facilement. C'est bien pour la communication. Mais il y a des inconvénients : le bureau est bruyant et quelquefois, j'ai du mal à me concentrer. Je ne peux pas être seule pour travailler tranquillement. Je ne peux pas parler au téléphone d'un sujet confidentiel. Bref, nous n'avons pas d'intimité. Et puis, il y a un dernier inconvénient : monsieur Bonnet, le directeur, travaille dans le même bureau et il contrôle sans arrêt notre travail.

Camille travaille-t-elle dans un bureau open space ou dans un bureau individuel ?

Un bureau open space

Un bureau individuel

b. Présentez les avantages et les inconvénients de l'open space.

Avantages	Inconvénients

1. Ils cherchent à louer un appartement à Paris.

a. 🎧 64 **Lisez ou écoutez.**

Lucie, 46 ans, est graphiste. Elle est divorcée, sans enfant. Elle travaille chez elle. Elle aime les beaux immeubles anciens et les quartiers animés.

Adrien, 27 ans, célibataire, est ingénieur. Il travaille dans une start-up. Il reçoit souvent des amis de passage à Paris.

John, 39 ans, américain, est contrôleur financier chez Microsoft. Il est à Paris pour trois ans avec sa femme et leur fils.

Sandrine, 48 ans, est conseillère juridique. Elle est séparée de son mari et vit avec sa mère de 79 ans. Elle a une fille qui vit en Allemagne.

b. **Consultez les annonces ci-dessous et attribuez un logement à chacune de ces personnes.**

1. Location meublée appartement 3 pièces 52 m² Paris 9ᵉ

1 600 € - À 2 min du métro St-Georges, au 4ᵉ étage (sans ascenseur), appartement refait à neuf, 1 chambre sur cour, 1 salon (avec canapé lit) sur rue, 1 cuisine équipée, salle d'eau, wc séparés, machine à laver, électro-ménager et linge de maison inclus (aspirateur, vaisselle, draps, etc.)...   *Lire la suite*

2. Location appartement 2 pièces 62 m² Paris 11ᵉ

1 950 € - Immeuble pierre de taille, exposition Sud/Ouest, lumineux, au 3ᵉ étage avec ascenseur, pas de vis à vis, entrée, dressing, séjour avec cheminée, cuisine, 1 chambre avec bureau, salle de bain (avec baignoire), wc séparés, double vitrage, parquet, nombreux commerces...   *Lire la suite*

3. Location appartement 3 pièces 75 m² Paris 15ᵉ

2 300 € - Dans un immeuble neuf, appartement au 1ᵉʳ étage avec ascenseur, très calme sur cour intérieure, salon, salle à manger avec cuisine ouverte, 2 chambres, couloir avec grand placards intégrés, wc séparés, salle de bains, concierge, facilité parking...   *Lire la suite*

4. Location meublée appartement 4 pièces 106 m² Paris 7ᵉ

4 100 € - Dans immeuble ancien, appartement traversant, au 2ᵉ étage avec ascenseur, 4 pièces, entièrement meublé, grand séjour avec vue sur la Tour Eiffel (fenêtres avec double vitrage), salle à manger, 2 chambres, 2 salles de bains, cuisine équipée (plaques à induction, four micro-ondes, lave-vaisselle), chauffage gaz individuel...   *Lire la suite*

2.  À vous !

Vous mettez votre appartement (ou votre maison) en location. Rédigez l'annonce.

1. Donner l'heure

A Quelle heure ?

Écoutez trois messages publics dans trois différents endroits : à la gare, dans un avion, à la radio.
Cochez ✔ les heures que vous entendez.

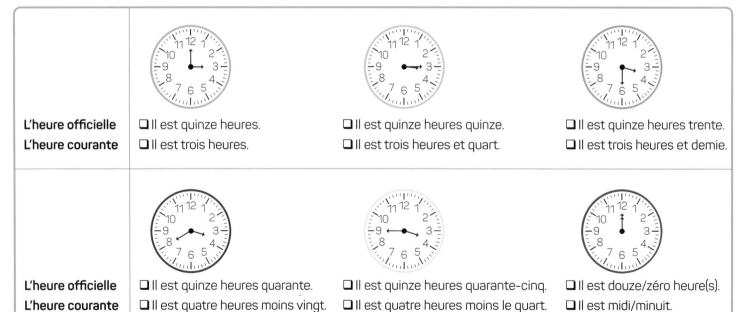

L'heure officielle	❏ Il est quinze heures.	❏ Il est quinze heures quinze.	❏ Il est quinze heures trente.
L'heure courante	❏ Il est trois heures.	❏ Il est trois heures et quart.	❏ Il est trois heures et demie.
L'heure officielle	❏ Il est quinze heures quarante.	❏ Il est quinze heures quarante-cinq.	❏ Il est douze/zéro heure(s).
L'heure courante	❏ Il est quatre heures moins vingt.	❏ Il est quatre heures moins le quart.	❏ Il est midi/minuit.

b. Dites l'heure officielle et l'heure courante

14:05   *Il est quatorze heures zéro cinq.*
        Il est deux heures cinq.

16:15

21:40

15:30

09:45

12:35

B Quels horaires ?

1. Les phrases du dialogue ci-dessous sont dans le désordre.

 Mettez-les dans l'ordre. Puis écoutez pour vérifier.

> ... À 2 heures et demie.
> ... Vous êtes sûre ?
> ... Excusez-moi, madame, les bureaux ouvrent à quelle heure ?
> ... À 5 heures.
> ... Et ils ferment à quelle heure ?
> ... Écoutez, c'est écrit sur la porte : « Les bureaux sont ouverts de 14 h 30 à 17 h 00. »

 JOUEZ À DEUX

Préparez et pratiquez un dialogue semblable. Dites l'heure courante et l'heure officielle. Utilisez les informations suivantes.

Restaurant La Cabane
19h00-22h30

2. Les messages suivants concernent une réunion.

> Bonjour Martine,
> À quelle heure commence la réunion de cet après-midi concernant le projet Cerise ? Elle finit à quelle heure ?
> Paul
>
> ─────────────────────────────
>
> C'est une réunion de service. Comme chaque semaine, elle commence à 15 heures (précises) et dure environ une heure. Sois à l'heure !
> Martine

a. Complétez.

1. Ces deux emails concernent la _____ de cet après-_____. Cette réunion concerne le _____ _____.

2. Paul demande à _____ à _____ heure la réunion commence et à quelle _____ elle _____.

3. C'est une réunion de _____ hebdomadaire. Elle _____ à 15 heures _____ et finit vers _____ heures.

b. Écrivez trois phrases sur les horaires de votre cours de français.

COMMENT DIRE

Pour demander l'heure

- Quelle heure est-il ?
- Il est quelle heure ?
- Vous avez l'heure, s'il vous plaît ?
- Les bureaux ferment à quelle heure ?
- À quelle heure est-ce que les bureaux ferment ?
- À quelle heure ferment les bureaux ?

Pour aller plus loin
→ *Exercices B, C, page 128*

GRAMMAIRE

Les adjectifs démonstratifs

- **Ce + nom masculin**
  *La réunion a lieu en **ce** moment.*
- **Cette + nom féminin**
  *À **cette** heure de la nuit je dors.*
- **Ces + nom pluriel**
  *Qu'est-ce que tu fais **ces** temps-ci ?*

⚠ **Ce → Cet**
devant une voyelle ou un *h* muet :
***Cet** horaire n'est pas très pratique.*

⚠ **Avec « -ci »**
pour insister sur la proximité :
*À **cette** heure-**ci** les bureaux sont fermés.*

Pour aller plus loin
→ *Exercice C, page 126*

PHONÉTIQUE

[s]-[z] : SEPT-ZÉRO

 Écoutez. Répétez.

1. poison/poisson – désert/dessert
2. douceur/douze heures
3. deux sœurs/deux heures
4. Elles sont ici.
5. Elles ont le sac.
6. Ce magasin ouvre à trois heures.
7. Cette réunion commence à quinze heures précises.
8. Elle se termine à seize heures.

Pour aller plus loin
→ *Phonétique n°12, page 144*

A Découvrir

Lucas est un musicien professionnel.

 Pour en savoir plus, lisez ou écoutez.

1. Lucas habite 5 rue Nostradamus, à Saint-Rémy de Provence. Il est célibataire.

2. Il se réveille à 7 h 00, mais il se lève à 7 h 15.

3. Il se rase, il prend une douche, puis il s'habille.

4. Il prend son petit déjeuner. Il lit le journal.

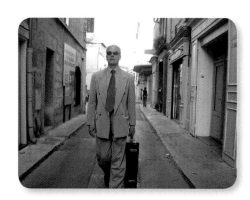

5. À 8 h 45, il part travailler. Il va au travail à pied.

6. Lucas est professeur de saxophone. Il travaille de 9h à 17 heures dans une école de musiqu

7. À 12 h 30, il déjeune à la Brasserie du Commerce.

8. Le soir, il joue aux jeux vidéo sur un vieil ordinateur.

9. Il se couche à 11 heures du soir. Il dort jusqu'à 7 heures du matin.

B Raconter

1. Complétez.

a. Avec un pronom.

1. Les enfants *se* lèvent à 8 heures.

2. Je _____ mets au travail à 9 heures.

3. Vous _____ maquillez le matin ?

4. On _____ arrête de travailler à 17 heures.

b. *se doucher, se raser, se réveiller, se coucher*

1. Je *me réveille* à 7 heures du matin.

2. Vous _____ à l'eau froide ?

3. Est-ce que tu _____ tard le soir ?

4. C'est une femme, elle ne _____ pas.

c. *à la, à l', au, aux, de l', du, de la.*

1. Nous allons *au* cinéma.

2. Ils vont _____ sports d'hiver.

3. Tu vas _____ épicerie.

4. Ils sortent _____ travail à 18 heures.

5. Elle va _____ banque ce matin.

6. Il sort _____ hôpital demain.

7. Tu joues _____ flûte ?

8. Est-ce que vous jouez _____ golf ?

9. Je joue _____ accordéon, et toi ?

10. Nous jouons _____ échecs.

11. Elle joue _____ bourse.

2. Louise est aussi musicienne. Elle parle de sa journée de travail à un journaliste.

 Écoutez l'interview. Prenez des notes. Vrai ou faux ?

1. Louise joue du saxophone.

2. Elle chante avec Lucas.

3. Elle se lève tôt.

4. Elle commence à travailler à 8 heures.

5. Elle travaille jusqu'à midi.

6. Elle ne travaille pas l'après-midi.

7. Elle dîne à 19 heures.

8. Le soir, elle sort avec des amis.

9. Elle se couche vers minuit.

3. À vous !

Racontez votre journée de travail.

▶ GRAMMAIRE

Les verbes pronominaux

• Se lever

je **me** lève	nous **nous** levons
tu **te** lèves	vous **vous** levez
il / elle **se** lève	ils / elles **s'**habillent

• S'habiller

je **m'**habille	nous **nous** habillons
tu **t'**habilles	vous **vous** habillez
il / elle **s'**habille	ils / elles **s'**habillent

Pour aller plus loin
→ *Exercice E, page 137*

▶ GRAMMAIRE

à et *de* + article défini

*Je vais **à la** maison.*
__à l'__université / __à l'__hôtel
__au__ travail (à le → au)
__aux__ cours (à les → aux)

⚠️ **Attention !**

• **Jouer *à* un jeu**
*Je joue **au** football, **à la** loterie.*

• **Jouer *d'*un instrument de musique**
*Je joue **du** saxophone, **de la** guitare, **de l'**alto.*

▶ PHONÉTIQUE

[y]-[u] : SU-SOUS

Écoutez. Répétez.

1. su/sous – vu/vous – nu/nous

2. Lucas habite rue Nostradamus.

3. Lucas est musicien.

4. Tu es musicien, comme Lucas.

5. Lucas joue du saxo toute la journée.

6. Tu joues de la flûte.

Pour aller plus loin
→ *Phonétique n°3, page 143*

A Témoignage

1. Denise Lopez travaille à Paris, au service des achats d'une entreprise industrielle. Elle parle de ses habitudes au travail.

a.  🎧 71 **Écoutez et soulignez les mots en rouge que vous entendez.**

Denise Lopez : « Le matin, _très souvent_ / _le plus souvent_, je suis au téléphone ou devant mon ordinateur, et je rencontre _rarement_ / _parfois_ des fournisseurs. Je déjeune _souvent_ / _rarement_ avec eux. L'après-midi, j'ai _toujours_ / _quelquefois_ une réunion avec Kevin Jacob, mon patron. Avec lui, les réunions sont _quelquefois_ / _souvent_ très courtes parce qu'il est _parfois_ / _toujours_ pressé. Je quitte le bureau vers 18 heures. Je n'apporte _pas_ / _jamais_ de travail chez moi. Le soir, je veux être avec mon mari et mes enfants. »

b. Vrai ou faux ?
1. Denise Lopez téléphone rarement le matin.
2. Elle utilise très souvent son ordinateur.
3. Le matin, quelquefois, elle rencontre des fournisseurs.
4. Elle mange toujours avec eux.

c. Répondez aux questions suivantes.
1. Est-ce que Denise Lopez a fréquemment des réunions avec son patron ? Est-ce que ces réunions sont longues ? Pourquoi ?
2. Est-ce que Denise Lopez travaille parfois chez elle ? Pourquoi ?

d. Mettez les verbes au présent.
Utilisez les tableaux de conjugaison page 140.

1. Denise (_assister_) _____ souvent à des réunions.
2. Elle (_écrire_) _____ rarement des lettres.
3. Elle (_finir_) _____ son travail à 18 heures.
4. Elle (_faire_) _____ ses courses au supermarché.
5. Elle (_prendre_) _____ quelquefois des vacances.
6. Ses enfants (_aller_) _____ à l'école.
7. Ils ne (_prendre_) _____ pas de cours de français.
8. Ils (_téléphoner_) _____ souvent à leurs copains.

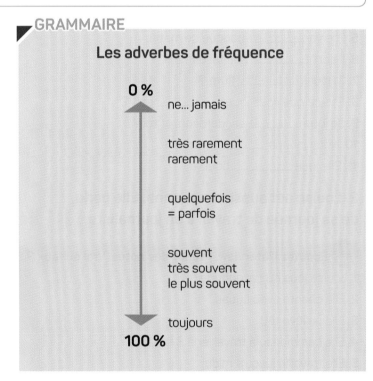

GRAMMAIRE

Les adverbes de fréquence

0 %
ne... jamais

très rarement
rarement

quelquefois
= parfois

souvent
très souvent
le plus souvent

toujours
100 %

2. Il est 20 heures. Denise Lopez est chez elle. Elle parle de ses habitudes à la maison.

🎧 72 **Écoutez. Prenez des notes. Complétez les phrases avec des adverbes de fréquence. Expliquez pourquoi.**

1. Le soir, _____, Denise Lopez va au cinéma parce qu'elle ...
2. Mais _____, elle reste chez elle parce qu'elle...
3. Elle ne regarde _____ la télévision parce qu'elle...

B Enquête

Le questionnaire ci-dessous porte sur les habitudes de travail.

🎧 73 Lisez-le. Puis écoutez une interview de Nadia, une collègue de Denise Lopez, et complétez le questionnaire à sa place.

1. Est-ce que vous arrivez en retard au travail ?
❑ jamais   ❑ rarement   ❑ parfois
❑ souvent   ❑ très souvent

2. Est-ce que vous utilisez le téléphone ?
❑ jamais   ❑ rarement   ❑ parfois
❑ souvent   ❑ très souvent

3. Est-ce que vous assistez à des réunions ?
❑ jamais   ❑ rarement   ❑ parfois
❑ souvent   ❑ très souvent

4. Est-ce que vous déjeunez avec des collègues ?
❑ jamais   ❑ rarement   ❑ parfois
❑ souvent   ❑ très souvent

5. Est-ce que vous voyagez pour le travail ?
❑ jamais   ❑ rarement   ❑ parfois
❑ souvent   ❑ très souvent

6. Est-ce que vous travaillez après 19 heures ?
❑ jamais   ❑ rarement   ❑ parfois
❑ souvent   ❑ très souvent

7. Est-ce que vous travaillez chez vous ?
❑ jamais   ❑ rarement   ❑ parfois
❑ souvent   ❑ très souvent

8. Est-ce que vous faites plusieurs choses à la fois ?
❑ jamais   ❑ rarement   ❑ parfois
❑ souvent   ❑ très souvent

PHONÉTIQUE

[ɛ̃]-[ɑ̃]-[ɔ̃] : CINQ-CENT-ONZE

🎧 74 **Écoutez. Répétez.**

1. cinq/cent – bain/banc – teint/temps
2. Les copains mangent au restaurant.
3. Quinze enfants en vacances.
4. Un enfant prend un bain.
5. cent/onze – lent/long – sans/son
6. Les vacances sont longues.
7. Ils ont rarement le temps.
8. On prend des leçons d'anglais.
9. longtemps/combien/enfin
10. cinq cent quatre-vingt-onze
11. Ce matin le patron est en réunion.
12. On vient souvent en train.

Pour aller plus loin
→ *Phonétique n°5 et 6, page 143*

👥 JOUEZ À DEUX

1. À l'aide du questionnaire, interrogez votre voisin(e) sur ses habitudes de travail.
2. Interrogez-le(la) également sur ses habitudes extra-professionnelles.
3. Faites un compte-rendu écrit.

Ma voisine arrive rarement en retard au travail. Elle ne va jamais au restaurant. Elle cuisine bien et elle préfère manger chez elle.

HABITUDES

Aller au restaurant
Aller à l'opéra, au théâtre, au cinéma
Téléphoner, envoyer des messages
Surfer sur les réseaux sociaux
Écouter la radio, la télévision
Parler à ses voisins
Parler français, une langue étrangère
Lire (la presse, des romans)
Prendre le train, le bus, le métro, l'avion
Etc

A Agenda de l'année

Raphael est parisien.
Plusieurs événements marquent son année.

a. 🎧 75 **Écoutez ou lisez.**
À quelle partie du texte correspond chaque dessin ?

Le premier janvier
est un jour férié,
je suis en congé.
En février, il neige
à la montagne.
Le 14 février, jour
de la Saint-Valentin,
je vais au ski avec
ma bien-aimée.
En mars, c'est mon
anniversaire,
je suis né le 20 mars,
c'est le premier jour
du printemps.
En avril, il y a les
vacances de Pâques.
Le 1er mai, on ne
travaille pas,
c'est la fête du travail.
En juin, c'est déjà l'été,
il fait beau.
Le soir du 14 juillet,
je vais au bal,

je danse jusqu'au petit
matin.
En août, il fait chaud,
je quitte Paris, je vais
à la mer.
En septembre, c'est la
rentrée,
je retrouve mes collègues
de travail.
En octobre et novembre,
c'est l'automne,
les jours sont courts,
un peu tristes,
il fait nuit à 6 heures
du soir.
En décembre, il fait froid,
je prépare Noël.
La nuit du Nouvel An,
je fais la fête :
je passe une nuit blanche.
Le premier janvier est
un jour férié,
je dors toute la journée.

b. Complétez.

1. _____ juillet, il travaille.

2. Il prend des vacances _____ été.

3. Il est à la mer _____ mois d'août.

4. Il part _____ 3 août.

5. Il revient à Paris _____ septembre.

6. Noël, c'est _____ hiver.

7. Pâques, c'est _____ printemps.

8. Le 1er _____, le 1er _____ et le _____ juillet
sont des jours fériés.

9. Dans la nuit du 31 _____ au 1er janvier,
on fête le _____ _____.

10. – Aujourd'hui, nous _____ le combien ?

– On _____ le _____

c. 🗣 À vous ! Racontez votre année dans votre pays,
du **1er janvier** au **31 décembre**.

Le premier janvier...

▶ GRAMMAIRE

Dates et saisons :

les indicateurs de temps

Nous sommes / On est :
– **en** 2023
– **en** été, **en** automne, **en** hiver
– **au** printemps
– **en** mars
– **au** mois de mars
– **le combien** ?
– **le 1er** mars, **le 2** mars

B Climat et dates

1. Le temps change d'un endroit à l'autre, et d'une saison à l'autre.

a. Dites si c'est possible.

1. Il n'y a pas de nuage et il pleut.

Ce n'est pas possible.

2. Il fait très chaud et il neige.

3. Il fait froid et humide.

4. Il pleut et il neige.

5. Il gèle et le soleil brille.

b. 🎧 76 **Complétez avec les mots suivants :**

janvier / août / froids / humide / les plus / neige.

Puis écoutez pour vérifier.

> **Quel temps fait-il à Paris ?**
>
> À Paris, les températures varient de 0 degré à 30 degrés. Il _____ et il gèle rarement, mais il pleut souvent. Décembre, _____ et février sont les mois les plus _____ : c'est l'hiver. Juillet et _____ sont les mois _____ chauds de l'année ; il y a un beau soleil, mais l'air est _____.

c. À vous ! Présentez le climat de votre ville.

2. Certaines dates marquent l'histoire.

a. Écrivez le mois en lettres. Puis dites la date.

1. le 4 / 05 / 1996 :   *le 4 mai 1996*

2. le 12 / 4 / 1951 : _____

3. le 25 / 2 / 2012 : _____

4. le 28 / 06 / 1977 : _____

b. 🎧 77 **Écoutez quatre courtes conversations. Notez les dates que vous entendez.**

1. _____   **3.** _____

2. _____   **4.** _____

c. 🎧 77 **Dites à quel événement correspond chaque date. Si besoin, écoutez de nouveau.**

1. _____

2. _____

3. _____

4. _____

COMMENT DIRE

Parler du temps

Il y a des nuages.

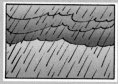

Il pleut.

Il neige.

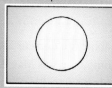

Il y a du soleil.

32	Il fait chaud.
23	Il fait bon.
18	Il fait frais.
9	Il fait froid.
0	Il gèle.
− 5	Il fait moins cinq.

⚠️ Ici, *il* est impersonnel, le verbe est toujours à la 3ᵉ personne du singulier.

👥 JOUEZ À DEUX

1. Écrivez trois dates importantes pour vous.

2. Dictez ces dates à votre voisin(e).

3. Vérifiez qu'elles sont correctes.

4. Expliquez pourquoi ces dates sont importantes.

PHONÉTIQUE

Accent tonique et groupes rythmiques

🎧 78 **Séparez les phrases en trois groupes rythmiques. Soulignez la dernière syllabe de chaque groupe : c'est la syllabe accentuée. Écoutez. Répétez.**

1. *En janvier, // il fait froid, // c'est l'hiver.*

2. Le 1er mai, c'est férié, on ne travaille pas.

3. Du 20 mars au 21 juin, c'est le printemps.

4. Du 5 juillet au 8 août, je suis en vacances.

5. Cette année, je vais en Grèce avec des amis.

Pour aller plus loin
→ *Phonétique n°22, page 145*

A Au téléphone

1. Max Berger appelle son dentiste.

 Lisez ci-dessous ou écoutez.

1. Pourquoi est-ce que Max téléphone ?

Quel est son problème ?

2. Notez le rendez-vous sur la page d'agenda ci-contre.

> – Cabinet du docteur Bic, bonjour.
> – Bonjour, je suis Max Berger. Je voudrais un rendez–vous avec le docteur Bic. C'est assez urgent. J'ai très mal aux dents.
> – Un instant, s'il vous plaît… Pouvez-vous venir mercredi ?
> – Le mercredi, désolé, je ne suis pas libre.
> – Jeudi, à 15 heures, est-ce que vous pouvez ?
> – Oui, c'est parfait.
> – Nous disons donc jeudi 9, à 15 heures.
> – C'est noté. Merci. Au revoir.
> – Au revoir, monsieur.

2. Max réserve une table au restaurant.

a. **Écoutez, prenez des notes et répondez aux questions suivantes.**

1. Pour quelle date est-ce que Max réserve ?

2. Pour combien de personnes ?

3. Est-ce qu'il souhaite dîner ou déjeuner ?

4. Pour quelle heure est-ce qu'il réserve ?

5. Quel est son numéro de téléphone ?

b. Notez la réservation dans l'agenda.

c. Complétez les questions suivantes.

1. Pour quelle dates s_____- vous _____ ?

2. La r_____ est à quel _____ ?

3. P_____ épeler votre _____ ?

4. A_____ - vous un _____ de téléphone ?

 JOUEZ À DEUX

Avec votre voisin(e), jouez deux entretiens similaires. Prenez rendez-vous chez le médecin et réservez une table dans un restaurant. Soyez précis.

AGENDA

	MARS
	SEMAINE 12
LUNDI **06**	
MARDI **07**	
MERCREDI **08**	
JEUDI **09**	
VENDREDI **10**	
SAMEDI **11**	
DIMANCHE **12**	

GRAMMAIRE

Le verbe *pouvoir* au présent

je peux	nous pouvons
tu peux	vous pouvez
il/elle/on peut	ils/elles peuvent

Complétez.

1. – Je p_____ pos_____une question ?
   – Oui, bien sûr, quelle question ?

2. – Comment est-ce qu'on prend rendez-vous ?
   – On p_____ prend_____ rendez-vous en ligne.

3. – Tu p_____ ouv_____ la porte ?
   – Désolé, je n'ai pas la clé.

4. – Qu'est-ce que vous proposez ?
   – Nous _____ vous _____ plusieurs solutions.

5. – Ils viennent à la réunion ?
   – Malheureusement, ils ne _____ pas _____.

6. – Je paye comment ?
   – Vous _____ _____ en espèces ?

7. – On se voit à quelle heure demain ?
   – On _____ _____ à 10 heures.

B Courrier électronique

1. Max Berger envoie un mail.

a. Est-ce que vous écrivez les mots suivants au début ou à la fin d'un mail ?

Bonjour / À bientôt / Merci pour ton email / Cher / Cordialement

Au début	À la fin
Bonjour	

b. Lisez les deux emails ci-dessous et répondez aux questions suivantes.

1. Quel jour et à quelle heure est-ce que Max arrive à Nantes ?

2. Est-ce que Karine et Max peuvent se voir lundi ?
À quel endroit ? À quelle heure est-ce que Karine est libre ?

3. Sont-ils des amis intimes ?

De : Max Berger
À : Karine Leduc
Objet : rendez-vous
Date : jeudi 06/04 11 :14

Bonjour Karine,
J'arrive à Nantes lundi à 13 h 30. Peut-on se voir à 14 heures à ton bureau ?
Cordialement,
Max

De : Karine Leduc
À : Max Berger
Objet : RE : rendez-vous
Date : jeudi 06/04 11 :37

Cher Max,
Merci pour ton mail. C'est d'accord pour lundi. Mais je ne suis pas libre à 14 heures. Peut-on se voir à mon bureau à 15 heures ?
À bientôt,
Karine

c. **À vous ! Un ami vous propose un rendez-vous. Répondez par mail. Dites qu'il y a un problème. Expliquez. Faites une proposition.**

De :
À :
Objet : RE : rendez-vous

2. Max Berger a une semaine bien chargée.

a. 🎧81 **Écoutez et lisez sa déclaration, puis complétez son agenda (page 48).**

MAX BERGER :

« Je travaille au siège de la société Ixtel, à Paris. Lundi prochain, comme tous les lundis, de 9 heures à 11 heures, j'ai une réunion de service. Mardi, à midi et demie, je déjeune à *La Casserole* avec monsieur Klein, un client allemand. Le soir, à 18 heures, je vois Sarah au *Grand Café*. Mercredi, je vais à Nantes. Mon train est à 9 h 30. Je reviens à Paris le soir même. Jeudi, à 15 heures, j'ai un rendez-vous avec mon dentiste, le docteur Bic. Vendredi, je passe la matinée au Salon de l'informatique. Vendredi soir, à 19 heures, je vais à l'opéra avec ma femme. Samedi et dimanche, je me repose. Nous passons le week-end en famille dans notre maison de campagne, en Normandie. »

b. **Écrivez un texte semblable sur l'emploi du temps de votre semaine.**

PHONÉTIQUE

L'enchaînement vocalique

🎧82 **Écoutez. Répétez.**

lundi à midi – mardi après-midi – mercredi à onze heures – jeudi après dîner – vendredi à une heure – samedi à huit heures – à samedi ou à dimanche – en janvier et en février – en février et en mars – en mai et en juin – en juin et en juillet.

Pour aller plus loin
→ *Phonétique n°19, page 145*

Faire le point

A Vocabulaire

1. Quelle heure est-il ? Dans chaque cas, trouvez deux possibilités.

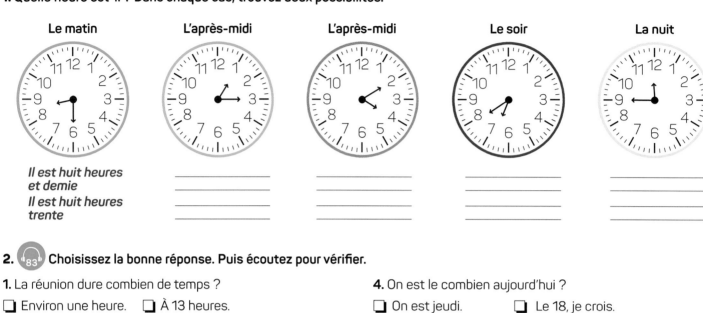

Le matin	L'après-midi	L'après-midi	Le soir	La nuit

Il est huit heures et demie
Il est huit heures trente

_____   _____   _____   _____
_____   _____   _____   _____
_____   _____   _____   _____
_____   _____   _____   _____

2. (83) Choisissez la bonne réponse. Puis écoutez pour vérifier.

1. La réunion dure combien de temps ?
☐ Environ une heure.   ☐ À 13 heures.

2. Tu te couches à quelle heure le soir ?
☐ À midi.   ☐ Vers minuit.

3. Tu skies dans les Alpes cette année ?
☐ Oui, en février.   ☐ Oui, en juillet.

4. On est le combien aujourd'hui ?
☐ On est jeudi.   ☐ Le 18, je crois.

5. Il fait beau ?
☐ Non, il fait froid.   ☐ Oui, c'est triste.

6. Tu travailles demain ?
☐ Non, c'est férié.   ☐ Oui, souvent.

3. Mettez dans l'ordre.

... Je déjeune.   ... Je m'habille.   *1* Je me réveille....   ... Je me lève.

... Je me couche.   ... Je me déshabille.   ... Je dors.   ... Je dîne.

4. Complétez les mots.

De : Caroline Brunel
À : Vincent Paillet
Ob_____ : Confirmation rendez-vous
Date : mercredi 12/02   15 :18

_____

Bo_____ mon ch_____ Vincent,
Me_____ pour ton email.
C'est d'ac_____ pour le RV de demain jeudi à 15 heures.
Ici il p_____ du matin au soir, n'oublie pas ton parapluie.
À de_____,
Caroline

B Grammaire

1. Complétez.

1. Ils ferment *à* 18 heures.

2. J'ai rendez-vous _____ 4 août.

3. Il prend ses vacances _____ hiver.

4. Ils viennent _____ printemps.

5. Ils ouvrent _____ mois de mars.

6. Le nouvel album sort _____ juin.

7. Nous sommes _____ combien ?

8. Je suis née _____ 1986.

2. Mettez le verbe au présent.

1. Vous (ouvrir) _____ à quelle heure ?

2. Elle (finir) _____ son travail.

3. Vous (sortir) _____ ce soir ?

4. Tu (jouer) _____ aux cartes ?

5. Ils (prendre) _____ des vacances.

6. Ils (aller) _____ à la campagne.

3. 🎧 (84) Cochez la bonne réponse. Puis écoutez pour vérifier.

1. Il fait froid _____ hiver.

☐ ce   ☐ cet

☐ cette   ☐ ces

2. Vous jouez _____ football ?

☐ au   ☐ du

☐ à   ☐ de

3. Ils vont souvent _____ théâtre.

☐ à   ☐ à la

☐ au   ☐ du

4. Elle ne se trompe _____.

☐ jamais   ☐ souvent

☐ parfois   ☐ toujours

5. Il travaille _____ le soir.

☐ très   ☐ pas

☐ rarement   ☐ jamais

6. _____ prochain, je ne travaille pas.

☐ Mardi   ☐ Un mardi

☐ Le mardi   ☐ À mardi

7. En général, _____ nuit, on dort.

☐ cette   ☐ en

☐ la   ☐ à

8. _____ exercice est intéressant.

☐ Ce   ☐ Cet

☐ Cette   ☐ Ces

4. Complétez.

1. (*ne jamais se reposer*) Je travaille toujours, *je ne me repose jamais*.

2. (*toujours réussir*) Ils sont brillants, ils _____

3. (*se lever tard*) Le dimanche, en général, ils _____

4. (*pouvoir se voir*) Je suis libre ce soir, on _____

5. (*pouvoir se taire*) Tu dis des bêtises, est-ce que tu _____

6. (*ne pas pouvoir venir*) Désolé, je _____

7. (*pouvoir s'asseoir*) Vous _____

8. (*ne pas pouvoir s'adapter*) C'est une autre culture, ils _____

9. (*rarement finir après 18 heures*) Dans notre service, les réunions _____

10. (*très souvent se coucher tôt*) Le soir je suis fatigué, je _____

C Écouter

1. Cochez les phrases que vous entendez.

a. 🎧85 Entendez-vous [s] comme dans « coussin » ou [z] comme dans « cousin » ?

1. ☐ **a.** C'est mon coussin.   ☐ **b.** C'est mon cousin.

2. ☐ **a.** Vous savez l'heure ?   ☐ **b.** Vous avez l'heure ?

3. ☐ **a.** Ils sont chauds.   ☐ **b.** Ils ont chaud.

b. Entendez-vous [u] comme dans « pour » ou [y] comme dans « pur » ?

1. ☐ **a.** Il est pour.   ☐ **b.** Il est pur.

2. ☐ **a.** Tu es sourd ?   ☐ **b.** Tu es sûr ?

3. ☐ **a.** Elle est rousse.   ☐ **b.** Elle est russe.

c. Entendez-vous [ɔ̃] comme dans « son » ou [ã] comme dans « sans » ?

1. ☐ **a.** C'est son problème.   ☐ **b.** C'est sans problème.

2. ☐ **a.** Le thon est magnifique.   ☐ **b.** Le temps est magnifique.

3. ☐ **a.** Il est blond.   ☐ **b.** Il est blanc.

d. Entendez-vous une question ou une affirmation ?

1. ☐ **a.** Elle appelle souvent ?   ☐ **b.** Elle appelle souvent.

2. ☐ **a.** On est libre jeudi ?   ☐ **b.** On est libre jeudi.

3. ☐ **a.** Il vient cet après-midi ?   ☐ **b.** Il vient cet après-midi.

2. 🎧86 **Lisez cet article. Puis écoutez Karine Merlin et complétez l'article.**

Karine Merlin, chef d'entreprise : une vie au travail

Elle s'appelle Karine Merlin et elle travaille _____ heures par semaine. Elle se lève à _____ heures du matin.

De _____ heures à 7 heures, elle fait un jogging dans la forêt de Fontainebleau. À _____ heures, elle est à son bureau. Elle rentre chez elle vers _____ heures.

Le plus souvent, elle passe la soirée devant _____. Elle fait des factures, elle envoie des emails, elle cherche des informations sur _____.

Elle se couche vers _____. Avant de dormir, elle lit des journaux _____. Karine dort seulement _____ heures par nuit. Le _____, elle ne va pas au bureau, mais elle travaille chez elle. « *J'adore travailler* », explique-t-elle. Heureusement, Karine est _____ et n'a pas d'enfants.

3. 🎧86 **Dites si les affirmations suivantes sont vraies ou fausses. Puis écoutez de nouveau pour vérifier.**

1. Karine travaille à Fontainebleau.

2. Fontainebleau est situé à 70km de Paris.

3. Karine a créé cette entreprise en 2007.

4. Aujourd'hui elle emploie 25 personnes.

D Lire

1. Lisez l'email ci-contre et dites si les affirmations suivantes sont vraies ou fausses.

1. Paul envoie un mail à Jacques vers 4 heures de l'après-midi.

2. Paul arrive à Paris le 6 janvier.

3. Le 6 janvier est un jeudi.

4. Paul veut voir Jacques à 10 heures.

5. C'est l'hiver à Paris.

E Écrire

2. Mettez-vous à la place de Jacques et répondez au mail de Paul.

Proposez une heure et un lieu de rendez-vous.
Dites quel temps il fait à Paris.

F Parler

3. Écrivez six rendez-vous dans votre agenda (ci-contre).

Par exemple : *une réunion de service, une visite médicale, un cours de chinois, etc.*

4. Travaillez par groupe de trois.
Fixez rendez-vous ensemble pour :

– *visiter la nouvelle usine ;*

– *recevoir les représentants syndicaux ;*

– *déjeuner ensemble.*

Par exemple :

A. *Bon, nous devons visiter la nouvelle usine. Est-ce que vous êtes libre jeudi matin ?*

B. *Désolé, je ne peux pas.*

C. *Moi non plus.*

Etc.

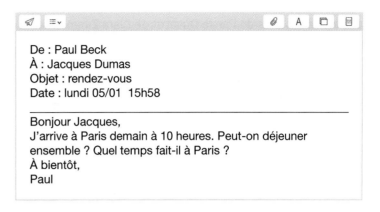

De : Paul Beck
À : Jacques Dumas
Objet : rendez-vous
Date : lundi 05/01 15h58

Bonjour Jacques,
J'arrive à Paris demain à 10 heures. Peut-on déjeuner ensemble ? Quel temps fait-il à Paris ?
À bientôt,
Paul

De : Jacques Dumas
À : Paul Beck
Objet : RE : rendez-vous
Date :

AGENDA

MARS
SEMAINE 15

LUNDI **16**	
MARDI **17**	
MERCREDI **18**	
JEUDI **19**	
VENDREDI **20**	
SAMEDI **21**	
DIMANCHE **22**	

53

Entre cultures : la gestion du temps

1. À quelle heure commence la réunion de 15 heures ?

a. Lisez la réponse de Pierre Duval et de Clara Zimmerman à cette question.

Pierre Duval,

directeur d'une maison d'édition :

« La réunion de 15 heures ? Chez nous, malheureusement, les réunions commencent toujours avec un quart d'heure, voire une demie heure de retard. ».

Clara Zimmerman,

comptable dans une entreprise de transport :

« C'est clair. Si la réunion est à 15 heures, elle commence à 15 heures. Qu'est-ce que vous voulez dire ? »

b. Finalement, à quelle heure commence la réunion de 15 heures ?

– Pour Pierre : à _____

– Pour Clara : _____

– Et pour vous ?

2. À vous !

a. Vous et votre voisin(e) êtes en voyage à Paris.
Vous êtes invité(e) à dîner par Pierre Duval, à son domicile.
« *Venez vers 19 heures* », vous dit-il. À quelle heure est-ce que vous arrivez ? À quelle heure est-ce que vous partez ?
Mettez-vous d'accord à deux.

b. Vous et votre voisin(e) devez rencontrer un client à son hôtel à 19 heures. Il est 19 h 15. Le client n'est pas là. Vous avez oublié votre téléphone. À quelle heure est-ce que vous partez ? Mettez-vous d'accord à deux.

c. Vrai ou faux ?

1. En général, les gens n'aiment pas attendre.

2. Le plus souvent, les gens sont ponctuels.

3. Les Français ne sont jamais en retard.

4. Les Allemands sont toujours à l'heure.

1. Tamara, 32 ans, est comptable dans une entreprise de transport.

a. Lisez le document ci-contre sur « Les temps d'une journée ». Puis complétez les mentions manquantes du tableau ci-dessous sur « Les temps de Tamara ».

Les temps de Tamara		
1. Temps *physiologique*		**9 : 45**
dont :		
- Sommeil		7 : 50
- Toilette, soins		0 : 45
- Repas		1 : 10
2. Temps _____		**8 : 45**
dont :		
- Travail professionnel		7 : 30
- Trajet domicile-travail		1 : 15
3. Temps _____		**4 : 10**
dont :		
- Courses, cuisine, ménage, linge, etc.		3 : 10
- Soins enfant		1 : 00
4. Temps _____		**1 : 20**
dont :		
- Télévision		0 : 40
- Internet		0 : 15
- Sociabilité (téléphone, conversations, etc.)		0 : 15
- Lecture		0 : 10
- Promenade		0 : 00
- Sports et autres activités		0 : 00
- Autres		0 : 00
Total		**24 : 00**

Les temps d'une journée

Une journée comprend quatre temps :

– **le temps professionnel** (au travail ou aux études), qui comprend le temps de trajet domicile-lieu de travail (ou d'étude) ;

– **le temps domestique** : faire la cuisine, le ménage, élever les enfants, bricoler, jardiner, etc.

– **le temps libre** : rendre visite à des parents ou à des amis, regarder la télévision, surfer sur Internet, sur les réseaux sociaux, se promener, lire, aller au théâtre, au concert, pratiquer un sport, ne rien faire, réfléchir, etc.

– **le temps physiologique** (ou biologique) : dormir, se laver, se nourrir.

2. À vous !

a. Dites comment se répartissent les différents temps de votre journée.

Temps physiologique	... heures
Temps professionnel	... heures
Temps domestique	... heures
Temps libre	... heures
Total	24 heures

b. Vrai ou faux ?

1. Tamara dort presque huit heures par jour.

2. Elle met une heure et quart pour faire l'aller-retour entre sa maison et son bureau.

3. Elle passe chaque jour plus de trois heures à faire le ménage.

4. Elle regarde un peu la télévision.

5. Elle n'a pratiquement pas le temps de lire.

6. Elle n'a pas beaucoup de temps libre.

c. Écrivez librement quatre autres phrases sur les temps de Tamara.

b. Écrivez cinq phrases sur les temps de votre journée.

Voyage

1. Descendre à l'hôtel

A Informations

Cette page Internet présente l'hôtel Astrid.

a. 🎧 87 **Complétez le texte avec les mots suivants :** *confort, centre-ville, douche, hôtel, wifi, minibar, parking, personnel, quartier, salon de massage.* **Puis écoutez pour vérifier.**

www.hotelastrid.com

Accueil | Information | Groupes | Contact

Hôtel Astrid *

Notre hôtel est situé au *centre-ville* de Bordeaux, à deux pas du _____ d'affaires. Toutes nos chambres sont équipées avec tout le _____ : salle de bain avec _____ et baignoire, toilettes, téléviseur, _____, accès _____, etc. Nous mettons à votre disposition un restaurant, un sauna, un _____, des salles équipées pour des réunions, un _____ fermé, un grand jardin et un bar, ouvert toute la nuit. Vous cherchez un _____ avec des chambres spacieuses, calmes, confortables, avec un _____ serviable et souriant ? Notre hôtel est fait pour vous.

b. Complétez avec les verbes suivants :

se connecter, regarder, se rendre, dîner, organiser, prendre, garer, se reposer.

À l'hôtel Astrid, on peut :

1. *se connecter* à Internet ;

2. déjeuner ou _____ ;

3. _____ la télé dans sa chambre ;

4. _____ en silence ;

5. _____ un café à 3 heures du matin ;

6. _____ des séminaires ;

7. _____ sa voiture en toute sécurité ;

8. _____ rapidement au quartier d'affaires.

c. Justifiez les affirmations de l'exercice b.

On peut se connecter à Internet grâce à la Wifi, parce qu'il y a la wifi, on peut déjeuner ou...

B Réservations

Une cliente se présente à la réception de l'hôtel Astrid.

a. Qui peut poser les questions suivantes ?

La cliente (C) ou le réceptionniste (R) ?

1. Que puis-je faire pour vous ? → **R**

2. Est-ce que vous avez une chambre libre ?

3. Quel type de chambre voulez-vous ?

4. Pour combien de nuits souhaitez-vous réserver ?

5. À quel nom dois-je réserver ?

6. Avez-vous une pièce d'identité ?

7. Comment souhaitez-vous régler ?

b. 🎧 **88** Écoutez et remplissez la fiche de réservation. Prenez des notes. Quelles sont les deux demandes particulières de la cliente ? Sont-elles satisfaites ?

Fiche de réservation	
Nom :	*Gomez*
Prénom :	*Valérie*
Jour d'arrivée :	_____
Nombre de nuitées :	_____
Nombre de chambres :	_____
– ___ avec un lit double	
– ___ avec deux lits jumeaux	
Nombre d'adultes :	_____
Nombre d'enfants :	_____
Prix/nuitée :	_____ €

👥 JOUEZ À DEUX

Un client réserve une chambre par téléphone.
- Client, consultez le dossier 15 page 124.
- Réceptionniste, remplissez la fiche de réservation ci-contre.

Commencez ainsi : *Hôtel Astrid, bonjour.*

GRAMMAIRE

Les adjectifs possessifs (2)

> *nous* → **notre** *hôtel*, **nos** *clients*
> *vous* → **votre** *chambre*, **vos** *clés*
> *ils, elles* → **leur** *note*, **leurs** *suggestions*

Complétez avec un adjectif possessif.

1. Monsieur et madame Leduc aiment beaucoup cet hôtel. C'est _____ hôtel préféré.
2. Ce sont les valises des clients de la 5. Ce sont _____ valises.
3. – Ces dossiers sont à vous, Messieurs ?
   – Oui, ce sont _____ dossiers.

Pour aller plus loin
→ *Exercice D, page 126*

GRAMMAIRE

L'adjectif « tout »

- Il s'accorde avec le nom et il est suivi d'un :
- – article défini : **toutes les** chambres
- – adjectif possessif : **tous nos** services
- – adjectif démonstratif : **tout ce** temps

Pour aller plus loin
→ *Exercice B, page 129*

PHONÉTIQUE

Les consonnes finales muettes

🎧 **89** **Écoutez. Répétez.**

1. réserver - aider – aimer – régler.

2. tu réserves – aides – aimes – règles.

3. elles réservent – aident – aiment - règlent.

4. vos clés – deux nuits – tous les mots.

5. deux lits jumeaux– tout le temps – compris.

Pour aller plus loin
→ *Phonétique n°18, page 145*

2. Prendre le bon chemin

A Demander son chemin

Nadia Hamadi est à Paris. Elle cherche une station de métro.

a.  **Écrivez les indications ci-dessous sous les dessins. Puis écoutez pour vérifier.**

- Vous continuez tout droit.
- Vous prenez la deuxième à droite : c'est la rue du Commerce.
- Le métro se trouve au bout de la rue du Commerce.
- Vous traversez l'avenue Emile Zola.
- Vous prenez la première rue à gauche.
- Vous allez jusqu'au boulevard.

> Excusez-moi, le métro, s'il vous plaît !

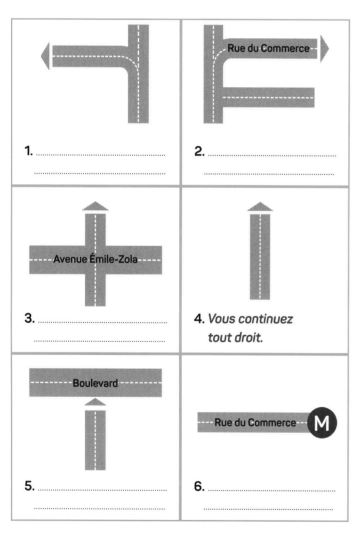

1. ....

2. Rue du Commerce ....

3. Avenue Émile-Zola ....

4. *Vous continuez tout droit.*

5. Boulevard ....

6. Rue du Commerce M ....

b. Complétez.

1. Je p _____ la première à gauche.

2. Je c _____ tout droit.

3. Je v _____ jusqu'au boulevard.

B Consulter un plan

1. Nadia Hamadi reçoit le mail ci-dessous.

a. Lisez ce mail ou écoutez. <u>Soulignez</u> les verbes à l'impératif, puis mettez-les à la forme « tu ».

Excuse-moi pour...

Bonjour Nadia,

Excusez-moi pour cette réponse tardive. Le rendez-vous avec Mme Zimmerman se tiendra dans les locaux de KM6, au 2 rue Chapon, dans le 3ᵉᵐᵉ arrondissement. Métro : Rambuteau. À la station de métro, sortez rue Beaubourg (ne prenez pas une autre sortie) et tournez à droite. Prenez la rue Beaubourg. Allez tout droit. Prenez la troisième à droite : c'est la rue Chapon. Continuez jusqu'au bout de la rue.
Le n°2 se trouve sur le trottoir de gauche, au coin de la rue avec la rue du Temple (à 4 mn à pied, selon Google Maps). Le bureau de Mme Zimmerman est au premier étage.
À bientôt,

Kevin Girard

b. Regardez le plan ci-dessous.

1. Où se trouve le bureau de madame Zimmerman ?

Indiquez d'une croix (X) sur le plan ci-dessous.

2. Écrivez les noms de la rue Chapon et de la rue du Temple.

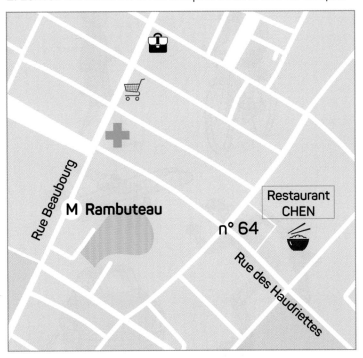

c. Écoutez Nadia Hamadi. Elle explique où se trouve le bureau de madame Zimmerman. Elle comme trois erreurs. Lesquelles ?

→ Exercice D, page 131

GRAMMAIRE

L'impératif

Prends / Ne prends pas le métro !
Prenez / Ne prenez pas le métro !
Prenons / Ne prenons pas le métro !

Pour aller plus loin
→ *Exercice D, page 131*

2. Vous recevez un message de Nadia.

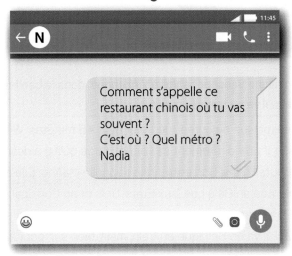

Comment s'appelle ce restaurant chinois où tu vas souvent ?
C'est où ? Quel métro ?
Nadia

Répondez à l'aide du plan. Expliquez l'itinéraire. Employez l'impératif.

JOUEZ À DEUX

Vous êtes à la sortie du métro dans la rue Beaubourg.
• A : Demandez à la personne B où se trouve la poste. Indiquez-la d'une croix (X) sur le plan.
• B : Consultez le dossier 14 page 124 et expliquez l'itinéraire à la personne A.

PHONÉTIQUE

[o]-[u] : faux-fou

Écoutez. Répétez

1. faux/fou - beau/bout - mot/mou
2. le métro au dessous
3. 12 boulevard Dodou
4. au bout du couloir

A William Vasseur

William Vasseur voyage souvent pour son travail.

🎧 **94** William Vasseur habite à Vincennes, dans la banlieue de Paris. Il va au travail en métro.

> De sa maison au bureau, le trajet dure 45 minutes. William Vasseur prend rarement sa voiture parce qu'il y a des embouteillages. Son entreprise s'appelle Marino. Elle est implantée en Belgique, aux États-Unis et au Portugal. William Vasseur voyage souvent dans ces pays pour son travail. Il va en Belgique en train, mais, bien sûr, pour aller aux États-Unis et au Portugal, il prend l'avion.

a. Transformez les questions avec « *est-ce que* ».
Puis répondez.

1. Il vit dans quel pays ?

– *Dans quel pays est-ce qu'il vit ?*

– *Il vit en France.*

2. William Vasseur habite dans quelle ville ?

3. Il travaille dans quel pays ?

4. Il va comment au travail ?

5. Le trajet dure combien de temps ?

b. Écrivez quatre autres questions concernant William Vasseur. Utilisez « est-ce que ».

1. _____ ?

2. _____ ?

3. _____ ?

4. _____ ?

👥 **JOUEZ À DEUX**

A : Consultez le dossier 3 page 120.
B : Répondez aux questions de A.

> **GRAMMAIRE**
>
> ### Les noms de pays
>
> • **En + nom féminin**
> La Pologne : *je vis **en** Pologne*
>
> • **Au + nom masculin**
> Le Japon : *elle vit **au** Japon*
>
> • **En + a, e, i, o, u**
> L'Iran : ***en** Iran*
>
> • **Aux + nom pluriel**
> Les Pays-Bas : ***aux** Pays-Bas*
>
> *Pour aller plus loin*
> → *Exercice A, page 135*

> **GRAMMAIRE**
>
> ### L'interrogation
>
> *Vous vivez dans quel pays ?*
> *Dans quel pays est-ce que vous vivez ?*
>
> *Pour aller plus loin*
> → *Exercices A, B, C, page 132*

Les moyens de transport

• à pied, à vélo, à moto, à cheval
• en bus, en train, en métro, en avion, en taxi, en rollers, en voiture

B Établissements Marino

William Vasseur présente les différents établissements de Marino en France.

a. 🎧 95 **Écoutez. Cochez les mots que vous entendez.**

- ❏ magasin de vente
- ❏ siège social
- ❏ salle d'exposition
- ❏ bureau
- ❏ usine
- ❏ studio de création
- ❏ entrepôt
- ❏ atelier

b. Lisez la déclaration ci-dessous et vérifiez vos réponses. Puis écrivez le nom des villes sur la carte de France ci-contre.

Brest / Provins / Bourges /Verdun

William Vasseur : « Le siège social de Marino se trouve à Paris. Marino a des bureaux à Verdun, dans le nord-est de la France. La production se fait dans l'usine de Brest, sur la côte Ouest. Il y a un entrepôt à Provins, au sud-est de Paris. L'entrepôt principal se trouve à Bourges, au centre du pays. »

c. Vrai ou faux ?

1. Marino a des bureaux à Paris.

2. Marino a un entrepôt au sud de la France.

3. L'entrepôt principal se trouve au nord de Paris.

4. L'usine est dans une ville côtière, à l'ouest du pays.

5. Marino est une très petite entreprise.

👥 **JOUEZ À DEUX**

- **A** : Consultez le dossier 9 page 125.
- **B** : Lisez les informations suivantes.

La personne A explique où se trouvent les établissements de Marino au Portugal. Écoutez ses explications. Écrivez le nom des villes et le type d'établissement sur la carte ci-dessous.

_____
- _____
- _____

Lisbonne
- *1 bureau*
- _____
- _____

_____
- _____

0   200 km

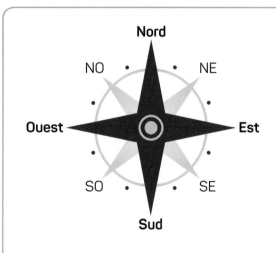

Nord
NO • NE
Ouest — Est
SO • SE
Sud

· *au nord de, au sud de, au centre de...*
· *à l'ouest de, à l'est de...*
· *sur la côte est, dans la banlieue nord.*

PHONÉTIQUE

Enchaînements et liaisons

🎧 96 **Écoutez. Marquez les liens entre les mots. Il y a deux liens par phrase. Puis répétez.**

1. *Monsieur Vasseur‿est‿à Paris.*

2. Il habite à Vincennes

3. Son entreprise se trouve en France.

4. C'est une grande entreprise.

5. Monsieur Vasseur voyage en Italie.

6. Il voyage en avion.

7. Il visite une usine.

8. Cette usine se trouve à Rome.

9. C'est une petite usine.

Pour aller plus loin
→ *Phonétique n°18, page 145*

A Destination Paris

1. On peut voir cet écriteau dans les jardins de Paris.

Lisez les phrases suivantes. Quatre phrases décrivent cet écriteau. Une est cochée ✔. Cochez les trois autres.

- ☐ Marchez sur la pelouse.
- ✔ Il est interdit de marcher sur la pelouse.
- ☐ Vous pouvez marcher sur la pelouse.
- ☐ Il ne faut pas marcher sur la pelouse.
- ☐ On doit marcher sur la pelouse.
- ☐ On peut marcher sur la pelouse.
- ☐ Ne pas marcher sur la pelouse.
- ☐ Ne marchez pas sur la pelouse.

2. Voici des conseils pour le voyageur.

a. Complétez avec *doit* ou *peut*.

À Paris :

1. On _____ conduire à droite.
2. On _____ respecter le code de la route.
3. On _____ se déplacer en métro.
4. On _____ boire l'eau du robinet.

b. Mettez dans l'ordre.

1. Faites aux attention voleurs

   Faites attention aux voleurs.

2. Vous visiter le château devez
3. Ne pas l'hôtel Iris à va
4. Vous vous devez adapter du aux habitudes pays
5. On à se l'office renseigner peut du tourisme
6. Il se promener faut dangereux pas ne dans les quartiers

L'obligation et l'interdiction

• *Devoir* + infinitif

je dois	nous devons
tu dois	vous devez
il/elle doit	ils/elles doivent

Tu dois absolument visiter Paris.
Vous devez respecter la loi.
Vous **devez vous** débrouiller seul.
On doit s'habiller chaudement en hiver.

• **Il faut** + infinitif = **On doit**
Il faut travailler pour vivre
= On doit travailler pour vivre

• **Il est interdit de** + infinitif
Il est interdit de s'asseoir par terre.

Complétez avec les mots suivants :
je, il, on, vous, vous, te, se

1. Tu dois _____ reposer à l'hôtel.
2. _____ dois me déplacer à pied.
3. _____ ne devez pas _____ promener seule.
4. _____ est interdit de _____ baigner.
5. _____ doit toujours être prudent.

3. Vous remarquez d'autres indications.

Expliquez leur signification. Utilisez les expressions suivantes : *il est interdit de / il faut / on ne peut pas.* Il y a plusieurs possibilités.

DEFENSE DE FUMER

ENTRER SANS SONNER

EAU NON POTABLE

B Autres destinations

1. Voici l'extrait d'un guide touristique en ligne sur Singapour.

a. (97) **Complétez avec les mots suivants :** *vous pouvez, vous devez, il est interdit de.*
Puis écoutez pour vérifier.

Singapour est une ville magnifique, propre et sûre. _____ absolument visiter les quartiers indien et chinois. De préférence, allez dans le quartier chinois le jour et dans le quartier indien la nuit. Singapour est un paradis pour la cuisine. Allez au restaurant, et n'oubliez pas de goûter les crabes au poivre. Un délice !

Mais attention ! _____ respecter toutes les règles. _____ jeter des papiers ou des chewing-gums par terre, de traverser en dehors des passages pour piétons. De même, _____ fumer dans les endroits publics, comme dans les bars, les restaurants, les bâtiments administratifs, etc.

Pour les déplacements, prenez le bus ou le métro. Les transports publics sont excellents. _____ aussi prendre un taxi. Les taxis sont bon marché et rapides, et il n'y a pas d'embouteillage. _____ aussi louer une voiture, mais alors, n'oubliez pas, _____ conduire à gauche, comme à Londres ou à Tokyo.

b. Fermez le livre et parlez de Singapour.
Qu'est-ce que vous vous rappelez ?

2. Vous allez à Amsterdam, aux Pays Bas. Un ami vous donne des conseils

a. (98) **Lisez les phrases suivantes. Écoutez.**
Cochez les phrases que vous entendez.

- ❏ Tu peux prendre un taxi.
- ❏ Ne prends pas les taxis.
- ❏ Tu peux te déplacer en tramway.
- ❏ Prends ton appareil photo.
- ❏ Il est interdit de prendre des photos.

b. (98) **Écoutez de nouveau et complétez les phrases suivantes.**

1. De l'aéroport au _____ d'Amsterdam, on peut prendre un taxi, le _____ ou le bus.

2. Le musée Van Gogh est ouvert de _____ heures à _____ heures.

3. L'entrée au musée Van Gogh coûte _____ € et on peut louer un audio-guide pour _____ €.
Il _____ p_____ en espèces.

4. Pour aller au musée on peut prendre le bus _____.

3. À vous !

 Avec les mots et expressions de cette leçon, écrivez des phrases sur un pays ou une ville que vous connaissez.

Dans le centre de Tokyo, il est interdit de fumer dans la rue.
À Berlin, on peut louer un vélo pour la journée.
À Madrid, vous devez absolument déguster un chocolat chaud avec des churros.

PHONÉTIQUE

Intonation : la question alternative

(99) **Écoutez. Répétez. Respectez l'intonation.**

1. Vous prenez l'avion ou le train ?
2. Vous allez à Singapour ou à Amsterdam ?
3. Vous payez en espèces ou par chèque ?
4. Tu préfères manger indien ou chinois ?
5. On conduit à gauche ou à droite ?
6. Vous voyagez seul ou avec un guide ?

A À demain !

1. Amar Beddi est à Paris. Il achète un billet de train au guichet de la Gare de l'Est.

a.  **Écoutez ou lisez.**

– Bonjour, madame, je voudrais un billet pour Colmar, s'il vous plaît.
– Vous partez quand ?
– Demain, en début d'après-midi.
– Il y a un train direct à 13 h 24
– Il arrive à quelle heure ?
– À 16 h 15 à Colmar.
– C'est parfait.
– Un aller simple ou un aller-retour ?
– Un aller simple, s'il vous plaît, en première classe.
– Ça fait 67,50 euros. Vous payez comment ?
– Par carte bancaire.
– Voici votre billet.
– Merci bien.
– Je vous en prie. Au revoir.
– Au revoir.

b. Complétez le billet.

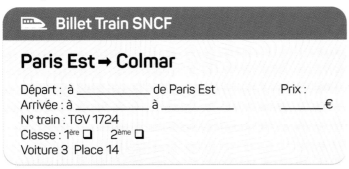

🚄 Billet Train SNCF

Paris Est ➡ Colmar

Départ : à _____ de Paris Est   Prix :
Arrivée : à _____ à _____   _____ €
N° train : TGV 1724
Classe : 1ère ❑   2ème ❑
Voiture 3 Place 14

c. Répondez aux questions.

1. Où est-ce que M. Beddi va ?
2. D'où est-ce qu'il part ?
3. Est-ce qu'il prend un aller-retour ?
4. Quel est le numéro du train ? De la voiture ?
5. Combien de temps dure le voyage ?

 **JOUEZ À DEUX**

- **A :** Consultez le dossier 6 page 121.
- **B :** Consultez le dossier 16 page 124.

2. Amar Beddi envoie un message.

a. Lisez ce message.

1. À qui est-ce que Amar écrit ?

2. Quel jour est-ce qu'il arrive ?

3. Est-ce qu'il connaît bien sa correspondante ? Pourquoi ?

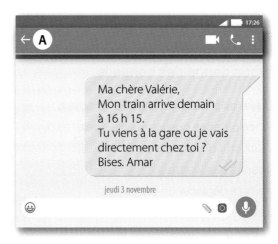

Ma chère Valérie,
Mon train arrive demain
à 16 h 15.
Tu viens à la gare ou je vais
directement chez toi ?
Bises. Amar

jeudi 3 novembre

b. **Amar reçoit un message vocal de Valérie. Écoutez.**

1. Que doit faire Amar ?

2. Pour quelle raison ?

3. À vous !

🎤 **Un(e) amie français(e) vous rend visite.**
Envoyez-lui un message.

– Dites que vous ne pouvez pas aller à la gare.
– Expliquez pourquoi.
– Proposer une solution de transport.
– Ajoutez librement deux informations.

B C'est parti !

1. Michel et Alex sont parisiens. En ce moment, ils sont dans le train. Michel lit et Alex dort.

a. **Écoutez ou lisez.**

> Michel et Alex viennent de Paris et ils vont à Rennes. Leur train est direct, mais il s'arrête au Mans et à Laval. Il arrive à 9 h 26 à Rennes. Comme toujours, Alex et Michel voyagent en seconde classe. Ils passent la journée à Rennes. Ils reviennent ce soir à Paris. Leur train part de Rennes à 18 h 09.

b. À l'aide de la fiche Grammaire, complétez sept questions sur le voyage de Michel et d'Alex. Puis répondez.

   1. D'où est-ce que Michel et Alex... ?

   2. Où est-ce qu'ils... ?

   3. Par où est-ce que le train... ?

   4. À quelle heure est-ce... ?

   5. En quelle classe est-ce ... ?

   6. Combien de jours est-ce... à Rennes ?

   7. À quelle heure est-ce... de Rennes ?

2. Vous êtes à la gare, à Paris. Vous allez à Bâle. Vous prenez le train de 10 h 54.

a. Consultez le tableau de départ. Répondez aux questions.

   1. Quel est le terminus de votre train ?

   2. De quelle voie est-ce qu'il part ?

   3. Par où est-ce qu'il passe ?

> ## GRAMMAIRE
>
> ### Questions au voyageur
>
> – **Où** est-ce que vous allez ?
> – Je vais **à** Munich.
> – **D'où** est-ce que vous partez/venez ?
> – Je pars/viens **de** Paris.
> – **Par où** est-ce que vous passez ?
> – Je passe **par** Strasbourg.
>
> *Pour aller plus loin*
> → *L'interrogation, page 132*

DÉPARTS TRAINS			
Train n°	Heure	Destination	Voie
1724	10 h 46	Nancy Strasbourg Munich	8
1640	10 h 48	Metz Luxembourg	14
1890	10 h 54	Reims Thionville Sarrebrück Mannheim	20
1043	10 h 54	Epinal Mulhouse Bâle Zürich	12
1775	11 h 02	Lunéville Colmar	5

Le numéro de la voie est affiché environ 20 minutes avant le départ.

b. Vous allez entendre trois annonces. Écoutez. Prenez des notes. Que disent ces annonces ? Écrivez librement une quatrième annonce.

Annonce 1 : Le train en provenance de...

Annonce 2 : Le TGV n° 1724 à destination de...

Annonce 3 : Votre train pour Zurich...

Annonce 4 : _____ .

> ## PHONÉTIQUE
>
> ### Attention aux chiffres !
>
> Écoutez. Notez les liaisons. Répétez.
>
> **1.** deux voies/voie deux/deux heures
> **2.** six quais/quai six/six heures
> **3.** huit quais/quai huit/huit heures
> **4.** neuf quais/quai neuf/neuf heures
> **5.** dix quais/quai dix/dix heures.

Faire le point

A Vocabulaire

1. 🎧105 **Choisissez le bon verbe. Puis écoutez pour vérifier.**

1. Vous | **prenez** | marchez | enlevez | la rue Diderot.

2. Mon bureau | se trouve | trouve | met | au rez-de-chaussée.

3. Je dois | continuer | boire | régler | ma note d'hôtel.

4. Il | visite | part | quitte | demain matin.

5. Vous pouvez | louer | voyager | goûter | une voiture.

6. Je | prends | me déplace | conduis | en avion.

7. Le voyage | arrive | vient | dure | deux heures.

8. Vous | traversez | tournez | suivez | la grande place.

2. Supprimez l'intrus.

1. La Hongrie / La Turquie / ~~La Normandie~~

2. une note / un chèque / une carte bancaire

3. un boulevard / une avenue / une pelouse

4. un aéroport / un jardin / une gare

5. un magasin / un entrepôt / un voyageur

6. un robinet / un train / un bus

7. une chambre / un quai / une voie

8. un lit / une baignoire / un matelas

3. Trouvez le mot opposé.

1. à gauche   # à d_____

2. à l'est   # à l'_____

3. au nord   # au s_____

4. un aller   # un r_____

5. l'arrivée   # le d_____

6. la provenance   # la d_____

7. l'entrée   # la s_____

8. continuer   # s'a_____

4. Complétez avec les mots suivants :

bon marché - confortable - libre - magnifique - rapide - ~~serviable~~ – souriant - sûr

1. Tu peux compter sur Léo, il aide tout le monde, c'est un garçon très **serviable**.

2. Voilà un bon fauteuil _____ pour vous reposer après une journée de travail.

3. Il n'y a pas de danger, madame, c'est un quartier tout à fait _____.

4. On a de la chance, le ciel est bleu, le soleil brille, il fait un temps _____.

5. Mon papa, il court très vite, il est _____ comme une flèche.

6. Térence arrive toujours au bureau de bonne humeur, toujours _____.

7. Prenons le métro, il n'y a pas un seul taxi de _____,

8. En fait, *le Bon Marché* est un magasin très cher, pas du tout _____.

5. Complétez les mots.

1. Vous pouvez vous repérer dans la ville avec un P __ __ N.

2. Prenez des photos avec un bon A __ __ __ __ __ __ L P __ __ __ O.

3. N'hésitez pas à demander des informations touristiques au G __ __ __ E.

4. C'est l'hiver, vous devez mettre des vêtements chauds dans votre V__ __ __ __ E.

5. À la gare, vous pouvez acheter un billet de train au G __ __ __ __ __ T.

6. Avant de visiter la mosquée, n'oubliez pas d'enlever vos C __ __ __ __ __ __ __ S.

7. Pour voyager léger, prenez peu de B __ __ __ __ S.

8. Prenez l'ascenseur et montez au dixième É __ __ __ E.

B Grammaire

1. Mettez le verbe au présent.

1. Vous (*prendre*) _____ à droite.

2. Vous (*continuer*) _____ tout droit.

3. Tu (*prendre*) _____ la ligne 4.

4. Tu (*sortir*) _____ à la prochaine.

5. Il (*falloir*) _____ demander un visa.

6. On (*devoir*) _____ faire attention.

7. Je (*aller*) _____ au travail à pied.

8. Je (*partir*) _____ à 8 heures.

9. Ils (*partir*) _____ demain pour Oslo.

10. Tu (*venir*) _____ de quel pays ?

11. Tu (*aller*) _____ où ?

12. Tu (*passer*) _____ par où ?

13. Ils (*voyager*) _____ souvent.

14. Ils (*venir*) _____ du Japon.

2. Cochez la bonne réponse.

1. Ils ne retrouvent pas _____ clé.
❏ **a.** ses   ❏ **b.** leur

2. Je vous présente Paul, _____ mari.
❏ **a.** mon   ❏ **b.** leur

3. Ils partent _____ les week-ends.
❏ **a.** tout   ❏ **b.** tous

4. Il travaille _____ la journée.
❏ **a.** tout   ❏ **b.** toute

5. _____ attention, s'il te plaît !
❏ **a.** Fais   ❏ **b.** Faites

6. Ne _____ pas, s'il te plaît !
❏ **a.** bouge   ❏ **b.** bouges

7. Le bureau est au _____ étage.
❏ **a.** dix   ❏ **b.** dixième

8. Il va à Paris pour la _____ fois.
❏ **a.** premier   ❏ **b.** deuxième

9. Vous connaissez le _____ ?
❏ **a.** Maroc   ❏ **b.** France

10. Je voyage souvent _____ Maroc.
❏ **a.** au   ❏ **b.** en

11. J'ai un frère _____ Paris.
❏ **a.** à   ❏ **b.** en

12. Où est-ce que _____ ?
❏ **a.** travaillez-vous   ❏ **b.** vous travaillez

13. _____ vas à quel endroit ?
❏ **a.** Est-ce que tu   ❏ **b.** Tu

14. Je me déplace beaucoup à _____.
❏ **a.** avion   ❏ **b.** pied

15. On _____ se reposer un peu.
❏ **a.** doit   ❏ **b.** faut

16. _____ est-ce que tu viens ?
❏ **a.** D'où   ❏ **b.** Où

17. Le train passe _____ Bruxelles.
❏ **a.** de   ❏ **b.** par

18. Ce soir, nous _____ au cinéma.
❏ **a.** allons   ❏ **b.** venons

19. Ils _____ de Genève.
❏ **a.** arrivent   ❏ **b.** vont

20. Attends ici, je _____ tout de suite.
❏ **a.** vais   ❏ **b.** reviens

3. Attention ! Il y a une faute d'orthographe dans chaque phrase. Supprimez le mot incorrect et récrivez la phrase.

1. Il voyage ~~au~~ Etats-Unis.   *Il voyage aux Etats-Unis.*

2. Fermes la porte, s'il te plaît. _____

3. Il faut se dépêché. _____

4. À quel heure part l'avion ? _____

5. Je voyage en premiere classe. _____

6. Ou est-ce que tu vas ? _____

C Écouter

1. Cochez les phrases que vous entendez.

a. 🎧106 **Entendez-vous [ɛ̃] comme dans « vin » ou [ɑ̃] comme dans « vent » ?**

1. a. ☐ C'est un vin sec.   **b.** ☐ C'est un vent sec.

2. a. ☐ Il est marin.   **b.** ☐ Il est marrant.

3. a. ☐ Je voudrais le plein.   **b.** ☐ Je voudrais le plan.

4. a. ☐ Ça fait 500 euros.   **b.** ☐ Ça fait 105 euros.

b. Entendez-vous [o] comme dans « faux » ou [u] comme dans « fou » ?

1. a. ☐ C'est faux.   **b.** ☐ C'est fou.

2. a. ☐ Il est sot.   **b.** ☐ Il est saoul.

3. a. ☐ Il est tôt pour elle.   **b.** ☐ Il est tout pour elle.

4. a. ☐ C'est un gros mot.   **b.** ☐ C'est un gros mou.

2. 🎧107 **Écoutez trois conversations correspondant aux trois situations suivantes. Puis complétez les phrases suivantes.**

1. À l'hôtel :	**2. Dans la rue :**	**3. À la gare :**
Amélie règle sa note	Amélie demande son chemin	Amélie prend le train

1. Amélie règle sa note. Elle paye 85 €. Ce prix comprend une nuitée, le petit _____, la t_____ de séjour et la TVA. Elle paye par _____.

2. Amélie demande son chemin. Elle va à la _____. C'est à _____ minutes à p_____. Amélie doit aller _____. La _____ se trouve au b_____ de la _____.

3. Amélie prend le train. Elle va à Londres. Elle veut un aller _____. Elle part l_____ prochain, le _____ j_____. Son train est à _____. Elle voyage en _____ classe.

D Lire

1. Regardez les quatre documents suivants.

DEPARTS			
AF 653	15:50	BEYROUTH	PORTE 11
BA 123	16:05	LONDRES	PORTE 26
AC 872	16:05	MONTRÉAL	PORTE 45
AZ 301	16:10	MILAN	PORTE 39

HOTEL LEDUC
★★★

Nombre de chambres : 67
Chambre simple : 75 € – 90 €
Chambre double : 120 € –150 €
Petit-déjeuner :13 €

Vrai ou faux ?

1. À l'hôtel Leduc, le petit déjeuner est compris dans le prix de la chambre.

2. Dans cet hôtel, il y une piscine et une salle de réunion.

3. Le vol BA123 en provenance de Londres arrive à 16 H 05 à la porte 26.

4. Pour aller à Paristoric, descendez au métro Opéra, prenez la rue Auber, allez tout droit, tournez à droite au bout de la rue.

E Écrire

2. Écrivez une phrase sur chacun des quatre documents ci-dessus.

1. ....

2. ....

3. ....

4. ....

F Parler

JOUEZ À DEUX

Préparez, puis jouez à deux une des trois situations de l'exercice 2 page 68.

1. La pratique du pourboire est différente selon les pays.

a.  **Lisez cet article ou écoutez.**

L'art du pourboire

Au Danemark, en Corée ou en Chine, il est très rare de laisser un pourboire. Au contraire, aux États-Unis, le pourboire est pratiquement obligatoire. En Irlande et au Royaume-Uni, vous devez laisser un pourboire dans les restaurants, mais ne laissez pas de pourboire dans les pubs, où les clients se servent au bar.

En France ou en Belgique, dans les cafés et les restaurants, le prix comprend le service, mais il est normal de laisser un pourboire. Le montant est de 10 à 15 % de l'addition. Il est aussi normal de glisser une pièce aux ouvreurs dans les théâtres ou d'arrondir le montant de la course en taxi. En Turquie, ne laissez pas de pourboire au chauffeur de taxi ou de minibus, mais laissez un pourboire au laveur de voiture, au guide touristique, au coiffeur, etc.

Bref, faut-il laisser un pourboire ? La question est compliquée. Avant de voyager, le mieux est de demander à un habitant du pays ou de consulter un bon guide touristique.

b. Vrai ou faux ?

	Vrai	Faux
1. Vous buvez une bière au bar d'un pub irlandais, à Dublin. Laissez un pourboire d'environ 10 %.	❏	❏
2. En Chine, vous devez laisser un pourboire au serveur du restaurant.	❏	❏
3. Vous êtes dans un café, à Paris. L'addition est de 8 euros, service compris. Laissez environ un euro de pourboire.	❏	❏
4. Vous êtes en Turquie. Le facteur apporte un paquet à votre domicile. N'oubliez pas le pourboire.	❏	❏
5. Dans un théâtre belge, on laisse un pourboire à l'ouvreur.	❏	❏

2. À vous !

Discutez les questions suivantes :

Est-ce que vous laissez des pourboires :
– dans votre pays ?
– quand vous êtes à l'étranger ?
Si oui, combien laissez-vous ?

**1. Alexandra, 25 ans, travaille comme monteuse dans le secteur du cinéma.
Nous lui avons demandé quelles étaient ses habitudes de voyage.**

a. 109 **Lisez ou écoutez.**

1. Vous voyagez souvent ? Si oui, combien de temps partez-vous en moyenne ?

Je voyage environ une fois tous les trois mois.
Je pars généralement une huitaine de jours, un peu plus longtemps en été.

2. Vous voyagez pour votre travail ?

Non, jamais, j'ai une profession très sédentaire.

3. Est-ce que vous voyagez seule ?

Je préfère partir avec des amis ou avec mon copain.

4. Pourquoi est-ce que vous voyagez ?

Pour découvrir de nouvelles choses et pour changer d'air. Et aussi pour découvrir des cuisines locales, parce que j'aime bien manger.

5. Où est-ce que vous allez ?

Je vais plus ou moins loin, ça dépend. Souvent, je n'ai pas d'idée précise au départ, je cherche sur Internet et je choisis la meilleure offre pour le rapport qualité-prix. Quelquefois, je suis les conseils de mes amis.

6. Est-ce que vous préparez vos voyages ?

Oui, plusieurs mois à l'avance, je consulte les moteurs

de recherche, les agences de voyage en ligne, les comparateurs de prix.

7. Où est-ce que vous logez ?

Parfois à l'hôtel, mais le plus souvent je trouve un logement sur Airbnb ou sur un site semblable. Pour choisir, je vois la localisation, les photos et les avis des autres voyageurs. Le prix est un critère très important. Je dépense au maximum 50 € par nuit.

b. 110 **Complétez le compte-rendu suivant. Puis écoutez pour vérifier.**

Alexandra fait environ _____ voyages par an. À chaque voyage, elle part environ_____ jours, sauf en été où elle voyage un peu plus longtemps. Elle ne voyage pas pour le _____ et n'aime pas p_____ s_____. Pourquoi voyage-t-elle ? Pour _____ d'air, _____ de nouvelles choses, goûter à des c_____ _____. Alexandra planifie ses _____ longtemps à _____. Elle cherche une destination sur In_____, compare les o_____ et c_____ la meilleure (le p_____ est une condition essentielle). Généralement, Alexandra t_____ un logement sur des plateformes de réservation, comme Airbnb. Elle voit _____ se trouve le logement, elle regarde les _____, elle lit les _____ des v_____. Elle refuse de d_____ plus de _____ € par nuit pour se l_____.

2. 🎤 **À vous !**

**Interrogez votre voisin(e) sur ses habitudes de voyage. Prenez des notes.
Puis rédigez un compte-rendu pareil à celui de l'exercice b.**

Ma voisine Charlotte...

Travail

1. Participer à un déjeuner d'affaires

A Entrée et plat principal

Madame Lang déjeune au restaurant *La Casserole* avec monsieur Claudel, un client.

 Écoutez ou lisez. Qu'est-ce qu'ils vont commander ?

> *Mme Lang :* Alors, cher monsieur, qu'est-ce que vous prenez comme entrée ?
>
> *M. Claudel :* Je vais prendre une assiette de crudités.
>
> *Mme Lang :* Et comme plat principal ?
>
> *M. Claudel :* Je vais essayer la truite aux amandes. Avec du riz. Mais sans sauce.
>
> *Mme Lang :* Moi, je vais prendre du pâté de canard en entrée et comme plat principal, le pavé au poivre avec… euh… des frites, beaucoup de frites. Et comme boisson, monsieur Claudel ? Voulez-vous du vin ?
>
> *M. Claudel :* Non, pas pour moi, merci, je ne bois pas d'alcool. Je vais prendre de l'eau. Une bouteille d'Evian, c'est très bien.
>
> *Mme Lang :* Vous êtes très raisonnable. Moi, je vais prendre un peu de vin…euh… un Bordeaux, pour commencer. *(Au serveur)* Monsieur, s'il vous plaît !
>
> *Le serveur :* Oui, voilà, voilà. Madame, monsieur, vous avez fait votre choix ?
>
> *Mme Lang :* Oui, alors, en entrée monsieur va prendre…

GRAMMAIRE

Le futur proche : *Aller + infinitif*

Elle va	*prendre des frites.*
Ils vont	*commander.*

Pour aller plus loin
→ *Exercice C, page 130*

B Fromage et dessert

1. Le texte suivant est extrait d'un guide touristique.

 Complétez-le avec *un, une, l', d', de, des, du.*
Puis écoutez pour vérifier.

> Dans un restaurant français, vous pouvez prendre un apéritif (un verre __d'__ alcool). Ensuite, vous commandez une entrée (par exemple, __une__ assiette __de__ charcuterie) et __un__ plat principal (de la viande ou __du__ poisson, avec __des__ légumes). Après, vous commandez un fromage et/ou un dessert. Pour terminer, vous prenez un café et vous payez __l'__ addition.

2. Madame Lang et monsieur Claudel choisissent le fromage et le dessert.

 Consultez cet extrait de la carte du restaurant *La Casserole*, **puis écoutez. Qu'est-ce que madame Lang et son client vont commander ?**

RESTAURANT

LA CASSEROLE

MENU

Nos fromages

Camembert	4,05
Brie	4,25
Chèvre	4,85
Roquefort	4,80

Nos desserts

Glaces, tous parfums	4,05
Tarte maison	4,80
Crème caramel	4,45
Salade de fruits frais	4,86
Mousse au chocolat	4,45
Gâteau aux poires	4,80

PRIX SERVICE COMPRIS 15 % TTC
Une carte bancaire est acceptée à partir de 15 euros

Monsieur Claudel va commander...

GRAMMAIRE

L'expression de la quantité

- **Une quantité indéterminée**

Il y a	*de la* salade.
Vous avez	*du* fromage.
Je voudrais	*de* l'eau.
Je vais prendre	*des* pâtes.

- **Une quantité déterminée**

	beaucoup	*de* sel
Je veux	*un peu*	*d'*huile.
	une tasse	*de* café

⚠️ **Attention !**
*Vous aimez **le** poisson ?*
*Où est **la** moutarde ?*
*Je ne veux **pas de** poisson.*

Pour aller plus loin
→ *Exercice A, page 129*

PHONÉTIQUE

Intonation : l'énumération

Écoutez. Répétez. Respectez l'intonation.

1. Je voudrais un steak↑et des frites↓.

2. Je voudrais de la salade↑, du fromage↑ et un verre de vin↓.

3. Je vais prendre un café↑, une mousse au chocolat↑ et un cognac↓.

👥 JOUEZ À DEUX

Vous êtes au restaurant *La Casserole*.
- Client(e) : Vous passez commande.
Oui, alors, en entrée, je vais prendre...
Et comme fromage... Etc.

- Serveur : Vous prenez la commande, de l'entrée au café.
Vous avez fait votre choix ? Et comme boisson ? Voulez-vous un fromage ?
Qu'est-ce que vous prenez comme dessert ?
Autre chose ? Etc.

À la fin, résumez la commande.

2. Passer un appel téléphonique

A Je regrette, mais...

1. Deux collègues discutent.

a. 🎧 *115* **Complétez leur conversation avec** *le, la, l'* **ou** *les*. **Puis écoutez pour vérifier.**

> *Chloé :* **David** veut voir **Alice Walter**. Tu _____ connais bien, non ?
>
> *Dania :* **Alice** ? Oui, très bien. En fait, je _____ appelle tous les jours.
>
> *Chloé :* Et **Monsieur Papineau**, tu _____ connais aussi ?
>
> *Dania :* Oui, un peu, pourquoi ?
>
> *Chloé :* **David** voudrait _____ rencontrer tous les deux.

b. Dites quels noms remplacent les pronoms en rouge.

1. Dania l'appelle tous les jours.

   Dania appelle Alice tous les jours.

2. Dania la connaît très bien. **Elle le** connaît un peu.

3. David veut la voir. Il veut les rencontrer.

👥 **JOUEZ À DEUX**

Lisez la conversation à deux. Changez les mots **en rouge**. Puis fermez le livre et jouez la conversation.

2. David Ledoux téléphone à Alice Walter.

🎧 *116* **Lisez ou écoutez, puis répondez aux questions suivantes.**

1. Est-ce que David appelle Alice sur sa ligne directe ?

2. Alice est-elle dans son bureau ?

3. Qu'est-ce que David va faire ?

> *A :* **Société Infotel**, bonjour.
>
> *B :* Bonjour, je suis **David Ledoux**, de la **PAC**, je voudrais parler à **Alice Walter**, s'il vous plaît.
>
> *A :* Je regrette, **madame Walter** vient de sortir.
>
> *B :* Mince alors !
>
> *A :* Voulez-vous laisser un message ?
>
> *B :* Non, ce n'est pas la peine. Je peux la joindre à quelle heure ?
>
> *A :* Essayez **vers 14 heures**.
>
> *B :* D'accord, je la rappelle **après le déjeuner**. Merci, au revoir.
>
> *A :* Au revoir, monsieur.

> **GRAMMAIRE**
>
> ### Les pronoms COD
>
> • *le, la, l', les*
> Je connais David.
> → *Je **le** connais. Je **l'**appelle souvent.*
> Je connais Alice.
> → *Je **la** connais. Je **l'**appelle souvent.*
> Je connais David et Alice.
> → *Je **les** connais. Je **les** appelle.*
>
> • *m(e), t(e), nous, vous*
> – *Est-ce que David **vous** connaît ?*
> – *Oui, il **me** connaît bien et il **m'**appelle souvent.*
>
> ⚠ Remarquez la place du pronom :
> *Je ne **le** connais pas.*
> *Je voudrais **le** connaître.*
>
> ***Pour aller plus loin***
> → *Exercices A et B, page 137*

> **GRAMMAIRE**
>
> ### Le passé récent
>
> **Venir de + infinitif**
> *Je viens de partir.*
> *Elle vient d'appeler.*
>
> ⚠ **Avec un COD**
> *Elle vient de **m'**appeler.*
> *Nous venons de **le** rencontrer.*
>
> ⚠ ***Appeler : attention à l'orthographe !***
> – j'app**elle**, tu app**elles**, il app**elle**
> – nous app**elons**, vous app**elez**, ils app**ellent**
>
> **Mettez au passé récent.**
> **1.** Il nous appelle.
>   ***Il vient de nous appeler.***
> **2.** Je vous appelle.
> **3.** Vous m'appelez.
> **4.** Ils vous appellent.
> **5.** On t'appelle.

👥 **JOUEZ À DEUX**

Lisez la conversation à deux. Changez les mots **en rouge**. Puis fermez le livre et jouez la conversation.

B Un instant, je vous passe...

1. Madame Walter est dans son bureau.

 Mettez dans l'ordre. Puis écoutez pour vérifier.

> ... C'est de la part de qui ?
>
> ... Merci. Un instant, **monsieur Malle**, je vous passe **madame Walter**.
>
> *1* **Société Infotel**, bonjour.
>
> ... Bonjour. Pourrais-je parler à **madame Walter**, s'il vous plaît ?
>
> ... De la part de **Vincent Malle**.
>
> ... Pouvez-vous épeler votre nom, s'il vous plaît ?
>
> ... **M comme Michel – A – deux L – E**

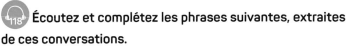 **JOUEZ À DEUX**

Lisez la conversation à deux. Changez les mots **en rouge**. Puis fermez le livre et jouez la conversation.

2. Vous allez entendre deux conversations téléphoniques.

 Écoutez et complétez les phrases suivantes, extraites de ces conversations.

• Conversation 1

1. Bonjour, est-ce que vous _____ _____ ?

2. Je _____ Michel Robinet, _____ la société Letour. Est-ce que je _____ _____ à Lisa Gomez ?

3. Excusez-moi, vous _____ _____ ?

4. Un _____, s'il vous plaît, je _____ _____ madame Gomez.

• Conversation 2

5. Je _____ _____ au _____ comptable ?

6. Je _____ _____ à Paul.

7. C'est _____ la _____ de qui ?

8. _____ la _____ de Florence Janin.

9. P_____ ? Vous _____ ?

10. Je l'_____ _____ de _____.

 JOUEZ À DEUX

Jouez deux conversations semblables.

COMMENT DIRE

Au téléphone

• **J'appelle**

Bonjour, je suis / ici Vincent Malle.

Je voudrais parler à madame Walter, s'il vous plaît.

• **Je réponds**

C'est de la part de qui ?

Un instant, s'il vous plaît, je vous passe madame Walter / je vous la passe.

Voulez-vous laisser un message ?

Pour aller plus loin
→ *Exercices pages 146 et 147*

PHONÉTIQUE

appelle – appelons

a. **Écoutez. Répétez.**

1. J'appelle. Nous appelons.
2. Vous jetez. Ils jettent.
3. Nous achetons. Ils achètent.
4. Tu te promènes. Vous vous promenez.
5. On se lève. Nous nous levons.

b. Donnez l'infinitif de ces verbes et conjuguez-les au présent.

3. Dire son expérience

A Interview

Vous allez simuler une interview.

a. Mettez les verbes au passé composé.

1. Je travaille dans l'administration.

J'ai travaillé dans l'administration.

2. Il fait ses études à Londres.

3. On a des problèmes au travail.

4. Elle est serveuse dans un restaurant.

5. Nous vendons des bijoux.

6. Vous gagnez un bon salaire.

7. Je finis mes études.

8. Tu écris une lettre de motivation.

9. J'envoie mon curriculum vitae.

10. Ils choisissent le meilleur candidat.

11. Tu quittes ton emploi.

12. On attend une réponse.

13. J'arrête de travailler.

b. Posez les questions de cette interview avec un verbe au passé composé. Pour chaque question, utilisez *est-ce que*.

1. *A :* (étudier) **Qu'est-ce que vous avez étudié ?**
   B : La linguistique.
2. *A :* (faire ses études) _____ ?
   B : À Paris, à la Sorbonne.
3. *A :* (vivre à l'étranger) _____ ?
   B : Oui, je viens de passer un an à Pékin.
4. *A :* (travailler) _____ ?
   B : Oui, j'ai donné des cours de français dans une université chinoise.
5. *A :* (trouver ce travail) _____ ?
   B : J'ai répondu à une offre d'emploi.
6. *A :* (apprendre le chinois) _____ ?
   B : Oui, j'ai pris des cours avec un professeur particulier.

c.  **Écoutez et vérifiez vos réponses.**

👥 JOUEZ À DEUX

• Posez des questions semblables à votre voisin(e). Prenez des notes.

• Faites le compte-rendu de cette interview : *Mon voisin Paul a étudié...*

▶ **GRAMMAIRE**

Le passé composé (1)

• En principe, on forme le passé composé avec *avoir* + participe passé.

j'**ai** travaillé	nous **avons** travaillé
tu **as** travaillé	vous **avez** travaillé
il/elle **a** travaillé	ils/elles **ont** travaillé

• Formation du participe passé :
– **Verbes en -er :** -er → **é**
Travailler : *travaillé*
– **Verbes en -ir :** ir → **i**
Finir : *fini*
– **Verbes en -re :** re → **u**
Vendre : *vendu*
– **Quelques verbes irréguliers**
Faire : *fait*   Apprendre : *appris*
Etre : *été*   Avoir : *eu*
Écrire : *écrit*   Vivre : *vécu*

Pour aller plus loin
→ *Conjugaisons p. 140 à 142*

▶ **GRAMMAIRE**

Savoir et connaître

• **Savoir + verbe à l'infinitif**
Il sait conduire.

• **Savoir + proposition subordonnée**
Je sais que Pierre a démissionné.
Elle ne sait pas où je travaille.

• **Connaître + nom**
Il connaît le code de la route

Complétez avec *connaître* ou *savoir* au présent.
1. Elle ne _____ pas écrire.
2. On _____ la musique.
3. Tu _____ faire la cuisine ?
4. Ils ne _____ pas si c'est possible.
5. Nous _____ bien notre travail.

B Recrutement

1. Une entreprise informatique a publié l'offre d'emploi ci-contre.

a. Lisez cette annonce. Décrivez le candidat idéal.

Il connaît l'informatique. Il...

b. 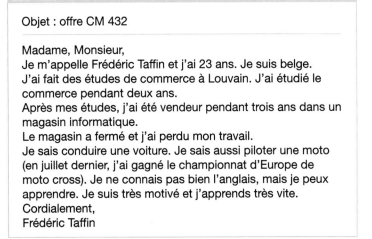 Lisez ci-dessous le mail d'un candidat ou écoutez. Soulignez les verbes au passé composé. Donnez leur infinitif.

📧 ✉⌄   📎 A ▢ 🖩

Objet : offre CM 432

Madame, Monsieur,
Je m'appelle Frédéric Taffin et j'ai 23 ans. Je suis belge.
J'ai fait des études de commerce à Louvain. J'ai étudié le commerce pendant deux ans.
Après mes études, j'ai été vendeur pendant trois ans dans un magasin informatique.
Le magasin a fermé et j'ai perdu mon travail.
Je sais conduire une voiture. Je sais aussi piloter une moto (en juillet dernier, j'ai gagné le championnat d'Europe de moto cross). Je ne connais pas bien l'anglais, mais je peux apprendre. Je suis très motivé et j'apprends très vite.
Cordialement,
Frédéric Taffin

---

c. Complétez la fiche d'information ci-contre à la place de ce candidat.

d. 🧍 À vous ! En réponse à l'annonce, écrivez un mail semblable sur vous.

📧 ✉⌄   📎 A ▢ 🖩

Objet : offre CM 432

---

2. Martine Cottin, de l'agence Kirecrute, s'entretient avec un candidat.

a. 🎧 Écoutez un extrait de cet entretien.
Prenez des notes. Puis complétez la fiche d'information pour ce candidat.

b. Complétez le tableau suivant. D'après vous, quel est le meilleur candidat ?

	F. Taffin	M. Petit
Forces		
Faiblesses		

Une entreprise informatique recherche des
COMMERCIAUX

- Vous connaissez l'informatique.
- Vous savez conduire.
- Vous savez négocier.
- Vous maîtrisez l'anglais.

- Vous avez étudié les techniques de vente.
- Vous avez vendu du matériel informatique.

- Aujourd'hui, vous cherchez un emploi.
- Vous voulez gagner un bon salaire.
- Vous êtes motivé(e), flexible.
- Vous êtes disponible immédiatement.

Appelez le **04 76 99 88 55** ou envoyez un email à mcottin@kirecrute.fr sous la référence CM 432

Fiche d'information

Nom : _____   Prénom : _____

Nationalité : _____

Formation : _____

Expérience professionnelle : _____
_____

Anglais : ☐ notions
         ☐ bonnes connaissances
         ☐ courant

Permis de conduire : ☐ oui ☐ non

Divers : _____
_____

Le son [j] : TRAVAIL

🎧 Le *Yod* [j] se prononce comme le *Yod* de *yes*. Écoutez. Répétez.

1. yaourt – voyage – payé - vieux
2. Il a travaillé hier.
3. Il y a du soleil.
4. Elle a envoyé son travail.
5. Camille est la meilleure.

A Qu'est-ce que tu deviens ?

Clara a reçu un mail de David, un ancien collègue.

a. 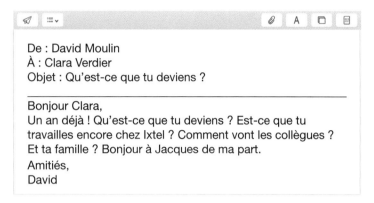 Lisez ce mail ainsi que la réponse de Clara.
Vous pouvez aussi écouter.

De : David Moulin
À : Clara Verdier
Objet : Qu'est-ce que tu deviens ?

Bonjour Clara,
Un an déjà ! Qu'est-ce que tu deviens ? Est-ce que tu travailles encore chez Ixtel ? Comment vont les collègues ? Et ta famille ? Bonjour à Jacques de ma part.
Amitiés,
David

Objet : RE : Qu'est-ce que tu deviens ?
Pièces jointes : Photo équipe Ixtel

Salut David,

Quelle surprise ! Oui, je travaille encore chez Ixtel, mais j'ai changé de poste. Je suis devenue responsable du service. Duval a pris sa retraite en juin et j'ai obtenu son poste.

Caroline a démissionné. Elle est partie en Colombie avec son mari. À sa place, nous avons embauché une jeune femme de 23 ans, très compétente.

Quoi encore ? Nous avons ouvert un bureau à Shanghai. Le mois dernier, je suis allée en Chine avec Lambert. Nous sommes restés une semaine. Es-tu déjà allé en Chine ?

Il y a des nouveautés dans ma petite famille. Jacques a quitté sa société. Il a créé sa propre agence immobilière. Nicolas, notre fils, a fini ses études d'ingénieur. Il a fait un stage de cinq mois chez Nortel, au Canada. Il est revenu la semaine dernière, très satisfait. Maintenant, il cherche un travail. Karine, notre fille, a passé son bac avec succès. Elle est entrée à la Sorbonne en octobre. Et toi, qu'est-ce que tu deviens ?
Bien à toi,
Clara

---

b. Identifiez les personnages suivants :
Duval, Caroline, Lambert, Jacques, Nicolas, Karine.
Duval est l'ancien responsable de service.

c. Dans la réponse de Clara, soulignez les verbes au passé composé. Quels verbes se conjuguent avec *être* ?

Le passé composé (2)

• On forme le passé composé des verbes suivants avec l'auxiliaire être.
arriver, partir, retourner – entrer, sortir – aller, venir – monter, descendre – naître, mourir – rester, passer – tomber.
et aussi : *rentrer, revenir, devenir, etc.*

• Avec l'auxiliaire *être*, le participe passé s'accorde avec le sujet.
***Elles** sont part**ies** hier.*

• La négation
*Elle **n'a pas** trouvé de travail.*
*Elle **n'est pas** arrivée.*

Pour aller plus loin
→ *Exercice C page 133*

d. Vrai ou faux ?
1. Clara a changé d'entreprise.
2. Elle a obtenu une promotion.
3. Monsieur Duval a démissionné.
4. Caroline a quitté Ixtel.
5. Ixtel a construit une usine en Chine.
6. Monsieur Lambert est allé en Chine.
7. Jacques a créé une entreprise.
8. Jacques est resté cinq mois chez Nortel.
9. Karine a réussi son bac.

e. Donnez librement une information sur les personnages mentionnés à l'exercice b. Écrivez des phrases au passé composé.
Duval est né et a grandi à Paris.

B Quoi de neuf depuis un an ?

1. Clara raconte son voyage à Shanghai à son collègue Hugo

a. Mettez les verbes au passé composé.

Hugo : Alors, Clara, est-ce que vous (*trouver*) ＿＿＿＿＿＿ un local pour le bureau ?

Clara : Oui, on (*louer*) ＿＿＿＿＿＿ 80 mètres carrés dans un quartier d'affaires.

Hugo : Qu'est-ce que vous (*faire*) ＿＿＿＿＿＿ encore ?

Clara : On (*embaucher*) ＿＿＿＿＿＿ une assistante chinoise.

Hugo : Est-ce qu'elle parle français ?

Clara : Oui, très bien, elle (*habiter*) ＿＿＿＿＿＿ à Paris.

Hugo : Qu'est-ce qu'elle (*faire*) ＿＿＿＿＿＿ à Paris ?

Clara : Elle (*apprendre*) ＿＿＿＿＿＿ le français et elle (*étudier*) ＿＿＿＿＿＿ dans une école de commerce.

Hugo : Vous (*avoir*) ＿＿＿＿＿＿ le temps de visiter la ville ?

Clara : Un peu. Nous (*sortir*) ＿＿＿＿＿＿ tous les soirs. Le dernier jour, je (*faire*) ＿＿＿＿＿＿ les magasins. Je (*acheter*) ＿＿＿＿＿＿ des vêtements. Mais Lambert (*pas venir*) ＿＿＿＿＿＿. Il déteste les magasins et il (*rester*) ＿＿＿＿＿＿ à l'hôtel. Par contre, il adore la cuisine chinoise. On (*manger*) ＿＿＿＿＿＿ chinois tous les jours. Et toi, qu'est-ce que tu (*faire*) ＿＿＿＿＿＿ ?

b. 🎧125 Dans l'exercice *a*, la transcription du dialogue est incomplète. Écoutez. Il y a quatre informations manquantes. Quelles sont-elles ?

👥 JOUEZ À DEUX

- Interrogez votre voisin(e) sur son dernier voyage. Prenez des notes.
- Puis faites le compte-rendu :

En juin dernier, ma voisine Léa est allée en Algérie. Elle...

2. Clara a pris de bonnes résolutions.

a. 🎧126 Lisez ou écoutez.

Clara : « Cette année, j'arrête de fumer, j'arrive au bureau à 8 heures, je reviens tôt à la maison, je pars en vacances avec Jacques, j'apprends le chinois, je retourne en Chine, je suis gentille avec Lambert, j'obtiens une nouvelle promotion, je prends la place de Lambert. »

Mais une année plus tard, Clara n'a pas tenu ses promesses.

b. Mettez sa déclaration au passé composé. Utilisez la négation. Commencez ainsi :

L'année dernière, Clara n'a pas arrêté de fumer, elle...

c. 🎧127 Écoutez pour vérifier.

3. Vous recevez ce mail de David.

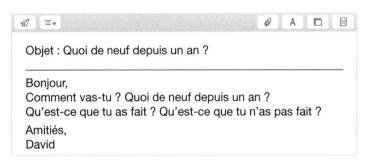

Objet : Quoi de neuf depuis un an ?

Bonjour,
Comment vas-tu ? Quoi de neuf depuis un an ?
Qu'est-ce que tu as fait ? Qu'est-ce que tu n'as pas fait ?
Amitiés,
David

✍ Répondez à David. Écrivez environ 150 mots.

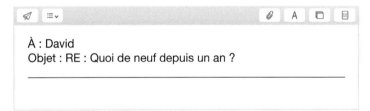

À : David
Objet : RE : Quoi de neuf depuis un an ?

PHONÉTIQUE

Intonation de la phrase négative

🎧128 Écoutez. Répétez. Respectez l'intonation.

1. Il ne part pas↓. Il n'est pas↑ parti↓.
2. Elle ne réussit pas↓. Elle n'a pas↑ réussi↓.
3. Je ne viens pas↓. Je ne suis pas↑ venu↓.
4. Elle ne sort pas↓. Elle n'est pas↑ sortie↓.
5. On ne reste pas↓. On n'est pas↑ resté↓.

A Lire

Mario Bouab travaille au service commercial d'une entreprise. Il vient de recevoir les mails ci-dessous.

 129 Lisez-les rapidement ou écoutez.

À quels mails est-ce que Mario doit répondre immédiatement ? Doit-il répondre à tous ?

1.

De : Ursula Grohe
À : Mario Bouab
Objet : traduction catalogue

Monsieur,
J'ai bien reçu votre catalogue et j'ai commencé à le traduire. J'ai quelques questions concernant cette traduction, mais je n'arrive pas à vous joindre au téléphone. Pourriez-vous m'appeler un jour de la semaine, entre 9 heures et midi ?

Cordialement,
Ursula Grohe

2.

De : Service marketing
À : Mario Bouab
Objet : visite de madame Cornu

Bonjour Mario,
Je viens de recevoir un appel de madame Cornu, de la société Hardy. Elle vient à Paris demain avec son patron. Peux-tu les recevoir dans l'après-midi et leur présenter nos nouveaux produits ? À quel moment ?

Isabelle

3.

De : Amandine Pierrot
À : Mario Bouab
Objet : Demande de stage
Pièces jointes : CV / lettre de motivation

Monsieur,
Je suis étudiante à l'Université de Paris-Dauphine. Je suis à la recherche d'un stage dans un service de marketing. Vous trouverez en pièce jointe mon CV et une lettre de motivation. Merci de bien vouloir les lire.

Cordialement,
Amandine Pierrot

4.

De : Jean-Paul Gonon
A : Mario Bouab
Objet : Inquiétude

Bonjour Mario,
On ne t'a pas vu vendredi soir. Je t'ai téléphoné plusieurs fois. Pas de réponse. J'espère que tout va bien.
Amitiés
Jean-Paul

5.

De : Paul Becker
À : Mario Bouab
Objet : demande de documents

Salut Mario,
Je suis arrivé à Madrid et je suis en train de préparer la réunion. Je ne trouve pas les chiffres du deuxième trimestre en Espagne. Peux-tu me les envoyer ?

Merci par avance.
Paul

6.

De : Fabien Godet
À : Mario Bouab
Objet : Remerciements
Pièces jointes : Photo de famille

Mon cher Mario,
Félicitations pour la soirée très réussie d'hier. Je t'envoie ci-joint une belle photo.

À bientôt,
Fabien

B Répondre

1. Mario répond à ses mails.

a. Soulignez dans ces mails les pronoms d'objet.
Distinguez les pronoms COD et les pronoms COI.
Dites ce qu'ils remplacent.

b. Trouvez dans les mails les mots ou groupes de mots qui signifient :

1. je ne peux pas vous joindre
  je n'arrive pas à vous joindre

2. merci de me téléphoner

3. je vous adresse ci-joint

4. je vous remercie de les lire

5. tu n'es pas venu vendredi soir

6. je t'ai appelé plusieurs fois

7. tu ne m'as pas répondu

8. je prépare en ce moment

9. merci de me les envoyer

10. je te remercie d'avance

c. Les phrases suivantes sont extraites des réponses de Mario à ces différents mails. Dites de quel email chaque phrase est extraite.

1. Tout va bien, rassure-toi. → *Mail 4*

2. Je serai disponible entre 15 et 16 heures.

3. Elle est très réussie, on est tous très beaux.

4. Merci de l'intérêt que vous portez à notre entreprise.

5. Ce moment vous convient-il ?

6. Si tu as besoin d'autres infos, n'hésite pas.

2. À vous !

 Mettez-vous à la place de Mario et répondez brièvement à ces différents mails.

COMMENT DIRE

Saluer dans un email

• **Pour commencer**

Madame, Monsieur, / Madame, / Monsieur, / Cher monsieur, / Chère madame, / Bonjour Mario, / Salut Mario,

• **Pour terminer**

Cordialement, / À bientôt,

Pour aller plus loin
→ *Exercices pages 148 et 149*

GRAMMAIRE

Les pronoms COI

81

• *lui, leur*
J'écris à Mario. → Je **lui** écris.
J'écris à Alice. → Je **lui** écris.
J'écris à Mario et à Alice. → Je **leur** écris.

• *m(e), t(e), nous, vous*
– Est-ce que Mario **t**'a écrit ?
– Non, il ne **m**'écrit jamais.

Répondez négativement. Utilisez un pronom à la place des mots soulignés.

1. Vous avez écrit <u>à Mario</u> ?
  Non, je ne lui ai pas (encore) écrit.

2. Ça <u>vous</u> plaît ?

3. Vous <u>m</u>'avez envoyé les échantillons ?

4. Il répond rapidement <u>à ses clients</u> ?

5. Tu veux répondre <u>à madame Ixe</u> ?

6. Tu as dit la vérité <u>à Mario</u> ?

7. Est-ce qu'il <u>t</u>'a expliqué le problème ?

8. Tu as demandé <u>à Mario</u> ?

9. Vous faites confiance <u>à votre banquier</u> ?

10. Est-ce que ta famille <u>te</u> manque ?

Pour aller plus loin
→ *Exercice C page 133*

GRAMMAIRE

Être en train de + infinitif

– *Qu'est-ce que tu fais ?*
– *Je suis en train de lire.*

Pour aller plus loin
→ *Exercice A page 130*

PHONÉTIQUE

[w]-[ɥ] : LOUIS-LUI

Écoutez. Répétez.

1. louis/lui – moi/moins/mouette

2. Il lui a dit oui.

3. Je suis loin aujourd'hui.

4. Je suis venu trois fois.

5. Louis fait la cuisine.

6. Je lui envoie un mail.

Faire le point

A Vocabulaire

1. 🎧 **Choisissez la bonne réponse. Puis écoutez pour vérifier.**

1. Qu'est-ce que vous prenez en entrée ?
☐ **a.** Le gâteau aux fraises.
☐ **b.** Une assiette de crudités.

2. Vous prenez un fromage ?
☐ **a.** Je vais prendre un chèvre.
☐ **b.** Oui, je vais prendre une glace.

3. Voulez-vous laisser un message ?
☐ **a.** Dites-lui que Jackie a appelé.
☐ **b.** Je rappelle plus tard, merci.

4. Pourrais-je parler à Paul ?
☐ **a.** Un instant, s'il vous plaît.
☐ **b.** Je regrette, je vous passe Paul.

5. Est-ce que vous maîtrisez le français ?
☐ **a.** Je le parle couramment.
☐ **b.** Oui, j'ai des notions.

6. Quelle est votre formation ?
☐ **a.** J'ai étudié la physique.
☐ **b.** J'ai travaillé comme vendeur.

7. Qu'est-ce qu'il devient ?
☐ **a.** Il a changé de poste.
☐ **b.** Ça devient intéressant.

8. Tu travailles toujours dans cette banque ?
☐ **a.** Oui, j'ai démissionné.
☐ **b.** Oui, j'ai même obtenu une promotion.

2. Éliminez l'intrus.

1. le sel / le salaire / le poivre
2. le vin / l'eau / le pâté / le café
3. embaucher / appeler / téléphoner
4. Bonjour / Cordialement / A bientôt

5. un emploi / un poisson / un poste
6. un local / une boisson / un bureau
7. la retraite / la vente / le commerce
8. le canard / le gâteau / la tarte / la glace

3. Complétez.

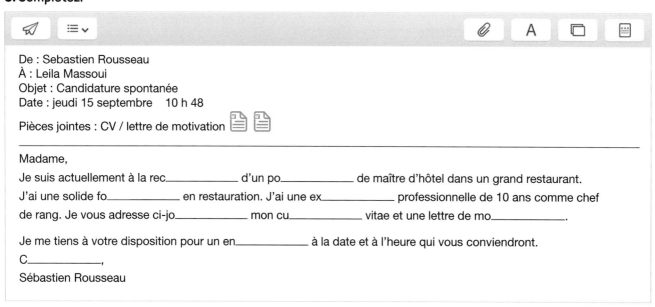

De : Sebastien Rousseau
À : Leila Massoui
Objet : Candidature spontanée
Date : jeudi 15 septembre   10 h 48

Pièces jointes : CV / lettre de motivation

Madame,

Je suis actuellement à la rec_____ d'un po_____ de maître d'hôtel dans un grand restaurant.

J'ai une solide fo_____ en restauration. J'ai une ex_____ professionnelle de 10 ans comme chef

de rang. Je vous adresse ci-jo_____ mon cu_____ vitae et une lettre de mo_____.

Je me tiens à votre disposition pour un en_____ à la date et à l'heure qui vous conviendront.

C_____,

Sébastien Rousseau

B Grammaire

1. **Lisez ou écoutez. Puis mettez les verbes au passé composé.**

Martine travaille comme serveuse dans un restaurant.
Un jour, elle perd son travail. Elle consulte les offres d'emploi.
Elle répond à une offre. Elle attend une réponse. Elle reçoit
une réponse. Elle est convoquée à un entretien d'embauche.
Elle va à l'entretien. Elle rencontre le patron du restaurant.
L'entretien tourne mal. Le patron lui pose des questions
indiscrètes. Elle ne veut pas répondre.
Finalement, elle n'obtient pas le poste.
Martine a travaillé comme...

2. Complétez avec un article partitif (*du, de la, de l', des*) ou avec *d(e)*.

Dans la « soupe du chef », il y a **des** champignons, _____ haricots blancs, _____ crème fraîche, _____ poulet,

beaucoup _____ tomates, un peu _____ ail, un peu _____ coriandre, _____ huile d'olive, il n'y a pas _____

pommes de terre.

3. Choisissez la bonne réponse.

1. Vous aimez _____ poisson ?

☐ un   ☐ du

☐ le   ☐ de

2. Je vais _____ un café.

☐ prendre   ☐ prend

☐ prends   ☐ pris

3. Elle a _____ son travail.

☐ fini   ☐ finit

☐ finie   ☐ finir

4. Il est _____ en Hongrie.

☐ travaillé   ☐ né

☐ voyagé   ☐ habité

4. Complétez avec les verbes suivants au présent.

être / aller / appeler / connaître / savoir / venir

1. Désolé, elles _____ de partir.

2. Il _____ passer demain au bureau.

3. Ils ne _____ pas compter.

4. Vous _____ ce métier ?

5. On _____ en train de réfléchir.

6. Je vous _____ demain, d'accord ?

5. **Complétez la déclaration de Zahra avec un pronom. Puis écoutez pour vérifier.**

« Vous me demandez si je connais Pierre Vidal. Eh bien oui, je _____ connais bien. En fait,

je _____ téléphone souvent pour _____ demander des conseils. Le mois dernier, je _____

ai appelé au sujet du projet Cerise. Je _____ ai parlé de nos problèmes. Je _____ ai posé

beaucoup de questions. Il _____ a répondu très gentiment, il_____ répond toujours gentiment.

Je _____ trouve très sympathique et je _____ apprécie beaucoup. Je vais _____ voir demain.

Vous voulez venir ? »

C Écouter

1. 🎧₁₃₄ **Écoutez. Cochez les mots que vous entendez.**

1. ☐ **a.** Louis   **b.** ☐ lui   5. ☐ **a.** bouée   **b.** ☐ buée

2. ☐ **a.** mouette   **b.** ☐ muette   6. ☐ **a.** nouée   **b.** ☐ nuée

3. ☐ **a.** loueur   **b.** ☐ lueur   7. ☐ **a.** quoi   **b.** ☐ cuit

4. ☐ **a.** enfoui   **b.** ☐ enfui   8. ☐ **a.** boisson   **b.** ☐ buisson

2. Sarah et Florian, deux collèges de travail, sont au restaurant.

a. 🎧₁₃₅ **Écoutez leur dialogue et cochez les mots que vous entendez.**

☐ **Entrées**	☐ **Plats**	☐ **Desserts**
☐ Salade niçoise	☐ Côte de bœuf au four	☐ Glaces, tous parfums
☐ Salade de tomates	☐ Rôti de veau aux olives	☐ Tarte au citron
☐ Assiette de crudités	☐ Omelette à l'oignon	☐ Crème caramel
☐ Pâté de canard	☐ Saumon grillé	☐ Fruits de saison
☐ Œuf dur mayonnaise	☐ Saucisse au vin blanc	☐ Gâteau aux cerises
☐ Concombres à la crème	☐ Truite aux amandes	☐ Mousse au chocolat
☐ Potage du pêcheur	☐ Poulet rôti aux épices	☐ Compote de pommes
☐ Soupe de poissons	☐ Hachis parmentier	☐ Riz au lait

b. 🎧₁₃₅ **Écoutez de nouveau et répondez aux questions.**

1. Qu'est-ce que Sarah va manger ?

2. Qu'est-ce que Florian va manger ?

3. Vous allez entendre une conversation téléphonique.

a. 🎧₁₃₆ **Écoutez. Qui appelle ? Cochez la bonne réponse.**

☐ un client   ☐ un professeur

☐ un vendeur   ☐ un étudiant

☐ un recruteur   ☐ un chef d'entreprise

☐ un candidat à l'emploi   ☐ un collègue

b. 🎧₁₃₆ **Écoutez de nouveau. Cochez ce que vous entendez.**

☐ Je souhaiterais parler à...   ☐ Nous proposons actuellement...

☐ C'est moi-même.   ☐ Je ne suis absolument pas intéressé.

☐ C'est de la part de qui ?   ☐ Absolument pas.

☐ Je m'appelle...   ☐ Je n'insiste pas.

☐ Je vous téléphone parce que ...   ☐ Je vous souhaite une bonne journée.

☐ J'ai une proposition.   ☐ D'accord, c'est noté.

c. Quelle est l'attitude de monsieur Rey ? Cochez les bonnes réponses.

☐ Monsieur Rey est hésitant.   ☐ Il est poli.

☐ Il est catégorique.   ☐ Il est impoli.

D Lire

1. Lisez ce CV et dites si les affirmations suivantes sont vraies ou fausses.

Sanna KEY
23 place Joffre,
75007 PARIS

07 56 67 67 77
skey@free.fr

24 ans,
de nationalité suédoise

Formation

| 2014 – 2019 | **École supérieure de commerce**, Paris
Master en gestion commerciale |
| 2014 | Fin d'études secondaires en Suède
(équivalent du baccalauréat) |

Expérience professionnelle

Depuis 2020	**Ixtel** (magasin de produits informatiques), Paris Chef des ventes : responsable d'une équipe de cinq vendeurs
2014 – 2019	**Ixtel**, Paris Vendeuse à temps partiel
2013 – 2014	**Restaurant Garbo**, Lund, Suède Serveuse à temps partiel

Langues

Suédois	langue maternelle
Norvégien	courant
Anglais	courant (7 ans à l'école)
Français	courant

Divers

Championne de judo junior de Suède en 2014
Fondatrice du journal en ligne judoclub.com

Vrai ou faux ?

1. Sanna Key a fini ses études en 2019.

2. Elle a quitté la Suède après le lycée.

3. Elle a travaillé et étudié en même temps.

4. Elle a été vendeuse chez Garbo, à Lund.

5. Elle a appris l'anglais en Suède.

6. Elle a gagné une compétition sportive.

E Écrire

2. Écrivez cinq phrases sur Sanna Key avec les verbes suivants au passé composé :

étudier, arriver, travailler, vendre, fonder

F Parler

3. Vous passez un entretien d'embauche. Le recruteur vous dit :
« Dites-moi quelques mots sur votre formation et sur votre expérience professionnelle. »
Qu'est-ce que vous répondez ?

4. Un vendeur A téléphone au domicile d'une personne B. Il veut vendre quelque chose.

 JOUEZ À DEUX

Préparez et jouez la conversation à deux. Utilisez des mots ou expressions de l'exercice **3b**, page 84.

Entre cultures : cultures d'entreprise

Julie Lemieux travaille au Ministère des finances, à Paris. Un journaliste l'a interviewée sur sa vie au bureau.

a. 🎧137 **Lisez ci-dessous ou écoutez l'interview.**

• **Est-ce que vous pointez ?**

Non, je ne pointe pas parce que je suis cadre. En fait, je ne compte pas mes heures de travail. Mais il y a des badgeuses pour le personnel non cadre.

• **Est-ce que vous fumez au bureau ?**

Non, c'est interdit. Les fumeurs doivent sortir pour fumer. Moi, de toute façon, je ne fume pas.

• **Où est-ce que vous déjeunez ?**

Généralement, je déjeune dans le restaurant du ministère. C'est un bon restaurant, bon marché, pour les employés du ministère.

• **Quels vêtements portez-vous au travail ?**

Je viens au bureau en tailleur. La plupart de mes collègues hommes sont en costume cravate.

• **Est-ce que vous passez beaucoup de temps en réunion ?**

Je passe plus de temps devant l'ordinateur.

• **Est-ce que vous tutoyez vos collaborateurs ?**

Je tutoie certains collègues. Je vouvoie mon assistante et mon directeur.

• **Est-ce que vous lisez le journal au bureau ?**

Le ministère reçoit plusieurs journaux. Je lis *Les Echos* tous les matins, en arrivant au bureau.

• **Est-ce que vous envoyez des emails personnels de votre bureau ?**

Oui, ça m'arrive. Parfois aussi, je passe des coups de fil personnels. Pas vous ?

b. Vrai ou faux ?

1. Certains fonctionnaires du Ministère fument.

2. Julie Lemieux apprécie le restaurant du ministère.

3. Elle s'habille de façon décontractée.

4. Elle travaille beaucoup avec l'ordinateur.

5. Elle vouvoie certains collègues.

6. Elle lit un journal au bureau.

7. Quand elle est au bureau, elle téléphone parfois à des amis ou à sa famille.

 JOUEZ À DEUX

• Interrogez votre voisin(e) sur ses habitudes sur son lieu de travail ou d'études.
Demandez des détails : *Pourquoi ? C'est-à-dire ? Par exemple ? Etc.* Prenez des notes.
• Faites le compte-rendu.
Mon voisin ne fume pas. Il déjeune...

Gros plan sur... l'entretien d'embauche

Lors d'un entretien d'embauche, on ne peut pas aborder tous les sujets

a. 🎧138 **Vous êtes le recruteur. Écoutez ou lisez.**
Pouvez-vous poser les questions suivantes ?

	Oui	Non
1. Pouvez-vous me parler de vous ?	❏	❏
2. Quel est la profession de votre conjoint ?	❏	❏
3. Vous avez des enfants ?	❏	❏
4. Quels sont vos loisirs ?	❏	❏
5. Pouvez-vous expliquer vos années sans emploi ?	❏	❏
6. Vous mangez de tout ?	❏	❏
7. Vous êtes en bonne santé ?	❏	❏
8. Que pensez-vous du débat sur l'immigration ?	❏	❏
9. Qu'est-ce que vous ne savez pas faire ?	❏	❏
10. Avez-vous des questions ?	❏	❏

b. 🎧139 **Vous êtes le candidat. Écoutez ou lisez.**
Pouvez-vous poser les questions suivantes ?

	Oui	Non
1. Combien de temps va durer l'entretien ?	❏	❏
2. Quels sont les horaires de travail ?	❏	❏
3. Est-ce qu'il y a un système de pointage ?	❏	❏
4. Quelle est l'activité de l'entreprise ?	❏	❏
5. Pouvez-vous me décrire l'ambiance de travail ?	❏	❏
6. Combien y a-t-il de candidats pour ce poste ?	❏	❏
7. Est-ce que vous offrez des avantages particuliers ?	❏	❏
8. Y a-t-il un syndicat dans l'entreprise ?	❏	❏
9. À quel moment prend-on ses congés ?	❏	❏
10. Quelles sont les prochaines étapes du recrutement ?	❏	❏

👥 JOUEZ À DEUX

- Préparez, puis jouez à deux un extrait d'entretien d'embauche.
- Posez à votre voisin(e) quelques-unes des questions ci-dessus.
- Parlez une ou deux minutes.

Problèmes

1. Traiter un problème relationnel

A Au travail

Marco reçoit un mail de Fanny, une collègue et amie.

a. Lisez ce mail et répondez aux questions suivantes.

À : Marco Lang
De : Fanny Meyer
Objet : formation marketing

Bonjour Marco,

Gérard ne peut pas assurer la formation marketing. **Quelqu'un** va le remplacer. En ce moment, je fais **quelque chose** d'important, de difficile, de stressant. Et Mathieu n'est plus là pour m'aider. La DRH a embauché **quelqu'un** à sa place. C'est quelqu'un de gentil, mais il ne connaît rien au travail et ne peut m'aider en rien.

Et aussi, j'ai des problèmes personnels, **quelque chose** me préoccupe et j'ai du mal à me concentrer.

À bientôt,
Fanny

1. Quel est l'objet principal du message ?

2. Quel est le problème professionnel de Fanny ?

3. Pourquoi a-t-elle des difficultés à se concentrer ?

GRAMMAIRE

Les négations particulières

– *Tu vois **quelque chose** ?* – *Non, **rien**.*
– *Tu vois **quelqu'un** ?* – *Non, **personne**.*

Pour aller plus loin
→ *Exercice D page 133*

b. Posez des questions sur les mots en rouge.

Chère Fanny,
1. Qui est-ce qui *va remplacer Gérard* ?
2. Qu'est-ce que tu _____ ?
3. Qui est-ce que la _____ ?
4. Qu'est-ce qui te _____ ?
Marco

 JOUEZ À DEUX

• **A :** Posez à B les quatre questions de l'exercice **b**. Notez les réponses.
Qui est-ce qui va remplacer Gérard ?
Qu'est-ce que Fanny fait...
• **B :** Consultez le dossier 13 page 123 et répondez aux questions de A.

B Vie privée

Vous allez entendre trois conversations entendues dans les trois situations suivantes..

1. Paul demande à Bill où est Catherine.

2. Catherine parle de ses problèmes à Suzanne

3. Paul reçoit un appel de Suzanne.

a. 🎧 **Écoutez. Vrai ou faux ?**

Dialogue 1

1. Bill est un ami de Paul.

2. Catherine est la femme de Paul.

3. Bill est un collègue de Catherine.

4. D'après Paul, Catherine travaille au service comptable.

Dialogue 2

5. Catherine n'est pas en forme.

6. Paul ne parle plus à Catherine.

7. Paul veut divorcer.

Dialogue 3

8. Suzanne est à Madrid en ce moment.

9. Elle rentre à Paris demain.

10. Suzanne connaît bien Paul.

b. 🎧 **Les phrases suivantes sont extraites de ces différentes conversations. Complétez les mentions manquantes. Puis écoutez de nouveau pour vérifier.**

Dialogue 1

1. _____ est-ce que vous cherchez ?

2. _____ est-ce qui peut me renseigner ?

3. Il n'y a _____ de ce nom ici.

Dialogue 2

4. _____ est-ce qui ne va pas ?

5. Ça ne sert à _____.

6. _____ est-ce que tu veux dire ?

7. Il faut faire _____.

8. _____ est-ce que tu vas faire ?

Dialogue 3

9. _____ est-ce que tu dis ?

10. Tu connais _____ à Madrid ?

▶ GRAMMAIRE

Qui/Qu'est-ce qui/que... ?

• **Question sur une personne : QUI EST-CE ?**
– QUI EST-CE *qui* travaille ici ? (« qui » sujet)
– *Le directeur travaille ici.*
– QUI EST-CE *que* tu attends ? (« que » COD)
– *J'attends une amie.*

• **Question sur une chose : QU'EST-CE ?**
– QU'EST-CE *qui* brille dans le ciel ? (« qui » sujet)
– *Le soleil brille.*
– QU'EST-CE *que* tu vois ? (« que » COD)
– *Je vois la tour Eiffel.*

Pour aller plus loin
→ *Exercice D, page 132*

▶ PHONÉTIQUE

[b]-[v] : boire-voir

🎧 **Écoutez. Répétez.**

1. Il boit - Il voit

2. Il bat - Il va

3. L'habit - La vie

4. Le banc - Le vent

5. Bien - Viens

6. Beau - Veau

Pour aller plus loin
→ *Phonétique n°13, page 144*

 JOUEZ À DEUX

Préparez un dialogue en utilisant quelques phrases de l'exercice **b**. Puis jouez la conversation.

A Voyage

1. Claire téléphone à son ami Marco, au Mexique.

a. 🎧142 **Complétez la conversation avec les phrases ci-dessous. Puis écoutez pour vérifier.**

> À l'aéroport, à Paris.
> Oui, c'est moi, Claire. Je te réveille ?
> J'ai raté mon avion.
> Oui, j'ai raté mon avion.
> Allô ! Marco ? C'est Claire.
> Je me suis réveillée trop tard.

Marco : Bueno !

Claire : _____

Marco : Claire ? Qui ça ? Claire ?

Claire : _____

Marco : Non, non... euh... enfin, oui, il est deux heures du matin. Tu es où ?

Claire : _____

Marco : À Paris ! Il y a eu un problème ?

Claire : _____

Marco : Quoi ? Qu'est-ce que tu dis ?

Claire : _____

Marco : Mais pourquoi ? Qu'est-ce qui s'est passé ?

Claire : _____

b. Répondez aux questions suivantes.

1. Où se trouve Claire ?

2. Quel est le problème ?

3. Quelle est la cause du problème ?

2. Claire raconte.

> CLAIRE : « Ce matin, je me réveille un peu tard. Alors, je me lève tout de suite, je me précipite dans la salle de bain, je me lave, je m'habille à toute vitesse. Je prends ma voiture et alors, pas de chance, je me retrouve dans les embouteillages. Je m'énerve, je me dispute avec un autre automobiliste. Finalement, j'arrive à l'aéroport, mais trop tard ! »

Mettez au passé composé.

🎧143 **Puis écoutez pour vérifier.**

Ce matin, je me suis réveillée...

▶ GRAMMAIRE

Le passé composé des verbes pronominaux

Je (ne) **me suis** (pas) réveillé(e)

Tu t'es réveillé(e)

Elle s'est réveillée

Il / On s'est réveillé

Nous nous sommes réveillé(e)s

Vous vous êtes réveillé(e)(s)

Ils / Elles se sont réveillé(e)s

3. Jonathan est un collègue de Claire. Il prend le bus pour aller au travail.

À l'aide du texte et des dessins ci-dessous, racontez librement son histoire au passé.

Jonathan s'est couché à 5 heures du matin. Il...

> Jonathan se couche à... Il se lève à... Il se dépêche pour... Dans la rue, il rencontre... Ils discutent... Jonathan rate son bus... Le bus suivant arrive. Il s'arrête... Jonathan monte dans... Le bus repart... Jonathan s'endort... Il se réveille... Il descend du... Il court pour... Il tombe... Il se blesse au... Il prend un... Il rentre chez... Il se couche...

B Rendez-vous

1. Claire est dans sa voiture. Elle a un rendez-vous avec Luc Sauvage, un client.

 Claire téléphone à Luc Sauvage. Écoutez. Cochez les phrases que vous entendez. Quel est le problème ?

- ☐ Je me suis trompée de route.
- ☐ Je vais arriver en retard.
- ☐ Vous pensez arriver vers quelle heure ?
- ☐ Dans une heure environ.
- ☐ Vers 16 heures, alors ?
- ☐ C'est ça, désolée.
- ☐ Ce n'est pas grave, à tout de suite.

👥 JOUEZ À DEUX

Préparez et jouez une conversation semblable.

2. Luc Sauvage échange des mails avec Julie, une collègue de travail.

a. Lisez le mail de Luc Sauvage et répondez aux questions.

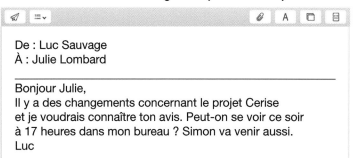

De : Luc Sauvage
À : Julie Lombard
___
Bonjour Julie,
Il y a des changements concernant le projet Cerise et je voudrais connaître ton avis. Peut-on se voir ce soir à 17 heures dans mon bureau ? Simon va venir aussi.
Luc

1. Pourquoi Luc veut-il rencontrer Julie ?

2. À quelle heure ? À quel endroit ?

3. Combien de personnes vont assister à la réunion ?

b. Maintenant lisez la réponse de Julie.

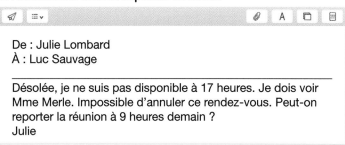

De : Julie Lombard
À : Luc Sauvage
___
Désolée, je ne suis pas disponible à 17 heures. Je dois voir Mme Merle. Impossible d'annuler ce rendez-vous. Peut-on reporter la réunion à 9 heures demain ?
Julie

1. Quel est le problème ?

2. Quelle est la cause du problème ?

3. Qu'est-ce que Julie propose ?

3. **Vous envoyez deux emails.**

a. Proposez librement un rendez-vous. Expliquez pourquoi. Proposez une date, une heure, un lieu.

b. Vous ne pouvez pas aller à un rendez-vous. Expliquez pourquoi. Faites une proposition.

COMMENT DIRE

Changer un rendez-vous

- **J'explique le problème**
Je suis pris(e) / en réunion/ en déplacement.
Je ne suis pas disponible ce jour-là.

- **Je fais une proposition**
Peut-on se voir demain ?
Peut reporter / avancer notre RV à mardi ?

PHONÉTIQUE

[œ]-[ɔ] : BEURRE-BORD
[ø]-[o] : CHEVEUX-CHEVAUX

🎧 **Écoutez. Répétez.**

1. [ø]-[ø] Il veut un peu.

2. [œ]-[œ] Un jeune acteur.

3. [ø]-[œ] Il est deux heures.

4. [o]-[o] Allô, c'est Marco.

5. [ɔ]-[ɔ] Le téléphone sonne.

6. [o]-[o]-[ɔ] Marco au téléphone.

7. [œ]-[ɔ] L'heure sonne.

8. [ɔ]- [œ] L'homme a peur.

9. [ɔ]-[œ]-[ɔ]-[œ] Votre sœur sort seule.

3. Résoudre un problème informatique

A Au téléphone

Quand Max a un problème informatique,
il téléphone à son amie Lise.

a. 🎧(146) **Écoutez ou lisez. Puis répondez aux questions.**

> *Max* : Allô, Lise ?
> *Lise* : Oui, c'est moi.
> *Max* : C'est Max. Je te dérange ?
> *Lise* : Non, pas du tout.
> *Max* : J'ai de nouveau un problème avec mon ordinateur.
>   L'écran ne fonctionne plus.
> *Lise* : Est-ce que l'ordinateur est allumé ?
> *Max* : Oui, mais l'écran est tout noir.
> *Lise* : Si tu bouges la souris, qu'est-ce que tu vois ?
> *Max* : Je ne vois rien, l'écran est encore noir.
> *Lise* : Et si tu appuies sur la touche F8 du clavier ?
> *Max* : F8 ? Attends… Oh ! Ça marche, c'est formidable,
>   merci.

1. Quel est le problème de Max ?

_____

2. Est-ce que Max a déjà eu un problème d'ordinateur avant ?

_____

3. Est-ce que l'ordinateur est éteint ?

_____

4. Que se passe-t-il quand Max bouge la souris ?

_____

5. Qu'est-ce qui se passe quand Max appuie sur la touche F8 ?

_____

👥 **JOUEZ À DEUX**

À deux, mémorisez, puis jouez la conversation
téléphonique.

b. Voici d'autres conseils de Lise. Complétez avec les verbes

suivants : *annuler - coller - copier - imprimer - sauvegarder*

1. Pour _____ un texte, tu appuies sur CTRL + C.

2. Pour _____ ce texte, tu fais CTRL + V.

3. Si tu as une imprimante, tu fais CTRL + P pour _____ .

4. Si tu fais CTRL + Z, tu _____ la dernière action,

5. Appuie sur CTRL + S pour _____ ton document

L'écran

Le clavier   La souris

ne … plus / pas encore

– *Vous travaillez* **encore** / **toujours** *ici ?*
– *Non, je* **ne** *travaille* **plus** *ici.*
– *Vous avez* **déjà** *trouvé un travail ?*
– *Non, je* **n'ai pas encore** *trouvé.*

**Les phrases suivantes sont extraites de différentes
conversations entre Max et Lise. Complétez-les avec
n(e)… plus ou n(')… pas encore.**

1. Il y a un problème, le clavier _____ répond
_____

2. Je ne connais pas ce programme, je _____ l'ai
_____ utilisé.

3. Ils _____ ont _____ trouvé de protection
contre ce virus.

4. C'est bizarre, le dossier Cerise _____ apparaît
_____ sur le bureau.

5. Qu'est-ce que je vais faire ? Je _____ me rappelle
_____ le mot de passe.

6. Depuis hier, la connexion Internet _____
fonctionne _____ .

7. Quel jour sommes-nous ? Mon ordinateur _____
conserve _____ la date.

8. Attends, je _____ ai _____ téléchargé
l'application.

9. J'ai tout essayé, je _____ sais _____ quoi
faire.

B Par mail

1. S'il y a un problème, il y a peut-être une solution.

Trouvez une solution à chaque problème. Faites des phrases.

Quand la batterie est déchargée, je...

Problèmes	Solutions
1. La batterie est déchargée.	**a.** Je le nettoie avec un chiffon propre.
2. L'écran du moniteur est sale.	**b.** Je la recharge.
3. Mon imprimante ne fonctionne plus.	**c.** Je formate le disque dur.
4. Un virus a détruit tous les programmes.	**d.** J'appelle la *hotline* de mon fournisseur d'accès.
5. Je ne peux plus me connecter à Internet.	**e.** Je l'apporte au service après-vente.

2. Lise est de nouveau sollicitée.

a. 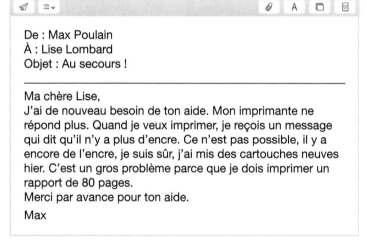 **Lisez le mail ci-dessous ou écoutez.**

De : Max Poulain
À : Lise Lombard
Objet : Au secours !

Ma chère Lise,
J'ai de nouveau besoin de ton aide. Mon imprimante ne répond plus. Quand je veux imprimer, je reçois un message qui dit qu'il n'y a plus d'encre. Ce n'est pas possible, il y a encore de l'encre, je suis sûr, j'ai mis des cartouches neuves hier. C'est un gros problème parce que je dois imprimer un rapport de 80 pages.
Merci par avance pour ton aide.

Max

Vrai ou faux ?

1. Max ne peut plus imprimer.

2. Il n'y a plus d'encre dans l'imprimante.

3. Max a un besoin urgent de son imprimante.

4. L'écran est vide.

b. 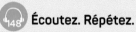 **Le message de Max contient environ 70 mots. Supprimez les détails et récrivez ce message en 25 mots environ.**

_____

_____

_____

_____

_____

_____

GRAMMAIRE

> **La condition ou l'hypothèse :**
> **si / quand + présent**
>
> **Si** tu as un problème, tu peux appeler Lise.
> **Quand** il appuie sur la touche F8, ça marche.

c.  **Vous avez un problème informatique.**
Écrivez un email à Lise.

– Demandez de l'aide.

– Expliquez le problème en détail.

– Dites pourquoi c'est un réel problème.

Écrivez environ 70 mots.

Ma chère Lise,

PHONÉTIQUE

> **[t]-[d] : TOUT-DOUX**

Écoutez. Répétez.

> **1.** tes/des – tu/du – tout/doux
>
> **2.** c'est utile – c'est idéal – c'est à toi
>
> **3.** Demain, tu dois étudier.
>
> **4.** Faites vite, il y a du monde.
>
> **5.** L'ordinateur est éteint, désolé.

Pour aller plus loin
→ *Phonétique n°11, page 144*

A Changer une ampoule

Patrick et Stéphane sont chargés des petites réparations dans une entreprise.

a. 🎧149 Lisez et écoutez les dialogues ci-dessous, puis complétez les mentions manquantes.
Quels sont les problèmes ?

> *Patrick :* Il n'y a plus de lumière au plafond.
> *Stéphane :* Oui, je sais, l'ampoule est grillée
> *Patrick :* Tu peux _____ changer ?
> *Stéphane :* Pourquoi moi ? L'escabeau est cassé.
> Change-_____, toi !

> *Patrick :* Prends une chaise. Mets-_____ sur la table.
> Prends ce dictionnaire. Mets-_____ sur la
> chaise. Monte sur le dictionnaire. Ne _____
> énerve pas, calme-_____, fais attention,
> _____ vas tomber.

b. Lisez les instructions de Patrick. Mettez les verbes
en rouge à l'impératif. Utilisez des pronoms.

PATRICK : « Voilà l'ampoule. Tu **prends** l'ampoule, tu **mets**
l'ampoule dans la douille, tu **visses** l'ampoule. Qu'est-ce qui
est coupé ? Le fil électrique ? Tu ne **touches** pas le fil, c'est
dangereux. Bon, écoute, laisse tomber, descends. Ne fais
pas l'idiot, s'il te plaît, tu **te concentres** une minute. Tes pieds,
tu **regardes** tes pieds, tu ne **poses** pas tes pieds ici, tu **poses**
tes pieds là. Reste calme. Ma main, tu **prends** ma main,
tu **serres** ma main. Mais... qu'est-ce que tu fais ? Aïe !
Tu t'es fait mal ? »

Voilà l'ampoule. Prends-la...

c. 🎧150 Écoutez pour vérifier.

GRAMMAIRE

Impératif et pronoms

• Place du pronom

– Dans la phrase affirmative, on met le pronom après
le verbe.
*Fais attention au vase ! Pose-**le** sur la table !*
– Dans la phrase négative, on laisse le pronom avant
le verbe.
*Ne **le** casse pas !*

• Verbes pronominaux

– Avec « tu »
*Détends-**toi** ! Ne **te** décourage pas !*
– Avec « nous »
*Détendons-**nous** ! Ne **nous** décourageons pas !*
– Avec « vous »
*Détendez-**vous** ! Ne **vous** découragez pas !*

B Autres réparations

1. Vous allez entendre trois conversations entre Patrick et Stéphane.

a. 🎧151 **Écoutez. Cochez les mots que vous entendez.**

☐ un tournevis   ☐ une lampe   ☐ un robinet   ☐ une fenêtre   ☐ un marteau   ☐ un tiroir

b. Quel est le problème ? Complétez.

1. Stéphane ne peut pas ouvrir le _____.

2. Le _____ fuit.

3. Stéphane ne peut pas fermer la _____.

c. Les phrases suivantes sont extraites des trois conversations. Remplacez les pronoms par des noms.

Conversation 1.

1. Je n'arrive pas à l'ouvrir.

Je n'arrive pas à ouvrir le tiroir.

2. Tire-le très fort.

Conversation 2.

3. Tiens-la, s'il te plaît.

4. Passe-le.

Conversation 3.

5. Ferme-la, pousse-la très fort.

2. Stéphane est enfermé dans une pièce.

La porte est fermée à clé. La clé est dans la serrure.
Par terre, il y a une feuille de papier et un tournevis.

Expliquez à Stéphane comment il peut sortir. Expliquez-lui
en détail. Utilisez l'impératif.

Stéphane, c'est simple, pousse la feuille sous la porte...

3. Le bricolage est une activité très répandue en Europe, notamment en France.

a. 🎧152 **Lisez le court article ci-dessous ou écoutez.
Puis répondez aux questions.**

Les Français bricolent

Pour faire des économies, plus de trois Français sur quatre font les petites réparations chez eux. Ils montent des meubles en kit, repeignent une pièce, font un peu de plomberie ou d'électricité. Seuls 3% achètent leur matériel sur Internet.

1. Pour quelle raison les Français bricolent-ils ?

2. Quel type de bricolage font-ils ? Par exemple ?

3. À votre avis, pourquoi achètent-ils peu de matériel sur Internet ?

**b. À vous ! Est-ce que vous bricolez ? Pour quelle raison ?
Pour quoi faire ? Où achetez-vous votre matériel ?**

 PHONÉTIQUE

Le « e » muet tonique

🎧153 **Écoutez. Répétez.**

1. Pose-le↑ sur la table↓. Pose-le↓.

2. Pousse-le↑ très fort↓. Pousse-le↓.

3. Prends-le↑ avec toi↓. Prends-le↓.

5. Proposer des solutions

A Trop ou pas assez

1. Vous identifiez le problème.

a. 🎧154 **Associez. Puis écoutez pour vérifier.**

1. Je n'arrive pas à me concentrer. → c

2. Je ne peux pas porter cette valise. → ...

3. Ne vous promenez pas ici la nuit. → ...

4. Ce journal n'est pas intéressant. → ...

5. Je dois remplir un tas de formalités. → ...

a. Le quartier n'est pas assez sûr.

b. Il ne donne pas assez d'informations.

c. Il y a trop de bruit.

d. Il y a trop de bureaucratie.

e. Elle est trop lourde.

b. Récrivez les phrases en utilisant les mots suivants :

trop / trop d(e) / (pas) assez / (pas) assez d(e).

1. Ne sors pas, il est tard.

  Ne sors pas, il est trop tard.

2. Je reste au bureau, j'ai du travail.

3. Il a raté ses examens, il a travaillé.

4. Elle tousse, elle fume.

5. Le magasin va fermer, il y a des clients.

6. Calme-toi, tu es nerveux.

7. Est-ce qu'il y a de la neige pour skier ?

8. Je ne joue pas en bourse, c'est risqué.

▶ GRAMMAIRE

Trop/Pas assez

• **trop / pas assez + adjectif ou adverbe**
*La salle 3 est **trop** petite. Elle n'est **pas assez** grande.*
*Cette réunion a duré **trop** longtemps.*

• **trop de / assez de + nom**
*J'ai **trop** de travail. Je n'ai **pas assez** de temps.*

• **verbe + trop/pas assez**
*Il dort **trop**. Il ne bouge **pas assez**.*
*Il a **trop** mangé. Il ne s'est **pas assez** dépensé.*

2. Vous faites des suggestions.

a. 🎧155 **Associez. Puis écoutez pour vérifier.**

1. Je ne me sens pas bien. → ...

2. Je vais monter sur le toit. → ...

3. Je ne comprends pas ces chiffres. → ...

4. J'ai un train dans une heure. → ...

5. Je suis resté debout toute la journée. → ...

a. Tu devrais demander au comptable.

b. Vous devriez voir un médecin.

c. Tu ne devrais pas faire ça, c'est dangereux.

d. Vous devriez vous asseoir un instant.

e. Tu devrais te dépêcher un peu.

b. Donnez des conseils avec « devoir » au conditionnel.

1. Prenez des vacances.

  Vous devriez prendre des vacances.

2. Mets un vêtement chaud.

  Tu...

3. Réfléchissons un peu.

  On...

4. Sois prudent !

5. Détendez-vous.

6. N'ayez pas peur.

7. Dites-lui la vérité.

8. Faites-nous confiance.

9. Ne parle pas trop ce soir.

▶ GRAMMAIRE

Le verbe *devoir* au conditionnel présent

je dev**rais**	nous dev**rions**
tu dev**rais**	vous dev**riez**
il/elle dev**rait**	ils/elles dev**raient**

Pour exprimer un conseil :
*Tu **devrais** faire attention.*
*Tu ne **devrais** pas conduire si vite.*
*Tu **devrais** lui expliquer le problème.*
*Tu **devrais** te taire (si tu n'as rien à dire).*
*Tu ne **devrais** pas te fâcher pour rien.*
*Tu ne **devrais** pas trop boire.*

B Problèmes et solutions

1. Regardez l'homme sur les dessins. C'est Nicolas. Il a quelques problèmes.

a. Associez le problème au dessin correspondant.

1. Le mot de passe est trop long, il n'arrive pas à le retenir. → *c*

2. Il y a une erreur dans l'addition.

3. Il a trop de travail, il est toujours stressé.

4. Il n'a pas assez d'argent, son compte en banque est encore dans le rouge.

5. Il mange trop, il a pris 10 kilos en six mois.

6. Il a mal à la gorge et à la tête, il tousse, il a froid, il a de la fièvre.

b. Pour chaque cas, suggérez des solutions. Faites plusieurs suggestions. Utilisez « devoir » au conditionnel.

1. *Le mot de passe est trop long. Il devrait...*

2. Nicolas est au bureau. Il parle à une collègue de travail.

🎧156 Écoutez-le dans trois différentes situations. Pour chaque situation, expliquez le problème et suggérez des solutions.

1. _____

2. _____

3. _____

PHONÉTIQUE

PHONÉTIQUE

Liaisons interdites

🎧157 Il y a une liaison à faire dans une seule des phrases suivantes. Dans quelle phrase ? Quelle liaison ? Écoutez pour vérifier. Puis répétez.

1. Le client accepte.

2. Le président ordonne et Amélie obéit.

3. Il va en Hongrie et tu restes à Paris.

4. J'achète mes haricots aux Halles.

5. Le résultat est tout à fait satisfaisant.

6. Les problèmes arrivent vite.

Faire le point

A Vocabulaire

1. 🎧 158 **Complétez avec les adjectifs suivants. Puis écoutez pour vérifier.**

absent / déçu / disponible / distrait / serviable / grand / perdu / sourd.

1. Pierre ne trouve plus son chemin, il est complétement _____.

2. Alexandre a raté ses examens, il est très _____.

3. Alain est souvent dans la lune, c'est un garçon _____.

4. Guillaume est toujours occupé, il n'est jamais _____.

5. Parle plus fort, il est un peu _____.

6. Mathieu n'est pas là, il est _____ pour la journée.

7. Kevin est très _____, il mesure près de deux mètres.

8. Simon rend service à tout le monde, il est vraiment très _____.

2. 🎧 159 **Cochez la bonne réponse. Puis écoutez pour vérifier.**

1. Pour zoomer, placez le curseur sur l'image et appuyez sur la _____ ALT.
- ☐ batterie
- ☐ souris
- ☐ serrure
- ☐ touche

2. Dans la boîte à outils, il y a des clous, des vis, un tournevis et un _____.
- ☐ clavier
- ☐ marteau
- ☐ escabeau
- ☐ écran

3. Elle ne peut pas assister à la réunion, elle a un _____.
- ☐ besoin
- ☐ embouteillage
- ☐ chiffon
- ☐ empêchement

4. Dépêchons-nous, on va _____ notre train.
- ☐ déranger
- ☐ porter
- ☐ rater
- ☐ reporter

5. S'il te plaît, tu peux _____ ces clés dans le tiroir du bureau ?
- ☐ mettre
- ☐ pousser
- ☐ passer
- ☐ tirer

6. Il ne peut pas travailler, il est malade, il a de la _____.
- ☐ fièvre
- ☐ maladie
- ☐ gorge
- ☐ tête

7. William Fournier _____ madame Masson à la direction du personnel.
- ☐ apporte
- ☐ recharge
- ☐ allume
- ☐ remplace

8. Il oublie tout, il ne _____ rien.
- ☐ détruit
- ☐ répond
- ☐ nettoie
- ☐ retient

9. Il travaille à la _____ de l'entreprise, il est responsable du recrutement.
- ☐ DRH
- ☐ P-DG
- ☐ SVP
- ☐ CV

10. Je connais un bon _____ : c'est www.abcd.com.
- ☐ médecin
- ☐ robinet
- ☐ plafond
- ☐ site

3. Supprimez le problème.

1. La porte est ouverte/fermée/***cassée***.

2. L'ordinateur est allumé/en panne/éteint.

3. Paul est descendu/tombé/sorti du train.

4. Il comprend/s'énerve/apprend vite..

5. Elles se disputent/s'aiment/se voient beaucoup.

6. Charlie, tu m'amuses/me plaît/me dérange.

7. Elle a raté/réussi/passé ses examens.

8. J'ai retrouvé/perdu/rangé le dossier Cerise.

9. J'ai avancé/oublié/reporté le rendez-vous.

10. Je me sens nerveux/heureux/amoureux.

11. On habite un quartier/propre/sûr/dangereux.

12. C'est un travail/brillant/amusant/stressant.

B Grammaire

1. Répondez négativement. Faites des phases complètes.

1. Tu travailles encore ?

  – Non, je ne travaille plus.

2. Il y a quelqu'un ici ?   – _____

3. Il est toujours dans son bureau ?   – _____

4. Ils vont encore rester longtemps ?   – _____

5. Vous prenez quelque chose ?   – _____

6. Tu as encore des questions ?   – _____

7. Je peux faire quelque chose pour vous ?   – _____

8. Quelqu'un a téléphoné ?   – _____

9. Tu vois quelqu'un ?   – _____

10. Tu as fait quelque chose aujourd'hui ?   – _____

2. Mettez le verbe à la forme correcte.

1. Hier, j'étais très fatiguée, je (*se reposer*) _____ toute la journée.

2. Elles vont arriver en retard, elles (*se tromper*) _____ de route.

3. Jacques et Paul (*se rencontrer*) _____ par hasard la semaine dernière.

4. On (*ne pas s'ennuyer*) _____. Au contraire, on s'est bien amusé.

5. C'est juste un conseil, vous (*devoir*) _____ consulter un médecin.

6. Encore un conseil, Charlie, tu (*devoir*) _____ boire un peu moins.

7. La porte, s'il te plaît, (*ouvrir*) _____-la.

8. Qu'est-ce qu'on (*faire*) _____ si ça ne marche pas ?

9. Elle peut venir si elle (*vouloir*) _____.

10. (*Se dépêcher*) _____, mesdemoiselles, il est tard.

11. Écoute, Charlie, ne (*s'énerver*) _____ pas, ça ne sert à rien.

12. Faisons une pause, (*s'arrêter*) _____ deux minutes, d'accord ?

13. Quand on veut, on (*pouvoir*) _____.

14. Si tu as le temps, (*venir*) _____ nous voir.

3. Complétez.

1. Si tu veux parler à Pierre, c'est simple, appelle-*le*.

2. Ce poisson n'est pas bon, ne _____ mange pas.

3. Laissez-_____, s'il vous plaît, je voudrais rester seul.

4. Ne restez pas debout, asseyez-_____, je vous en prie.

5. Quand un client vous écrit, répondez-_____ tout de suite.

6. Excusez-_____, je n'ai pas bien compris, qu'est-ce _____ vous avez dit ?

7. Alors, _____ est-ce qui vient à la réunion ?

8. Finalement, qui est-ce _____ vous avez embauché ?

9. _____ est-ce qui vous gêne ? Le bruit ?

10. On n'avance pas ici, il y a trop _____ monde.

11. Je ne peux pas payer en espèces, je n'ai pas _____ d'argent sur moi.

12. Ils ne peuvent pas acheter cette maison, ils _____ sont pas _____ riches.

C Écouter

1. 🎧 **160** **Cochez les phrases que vous entendez.**

1. ☐ **a.** Il a tout bu.   ☐ **b.** Il a tout vu.
2. ☐ **a.** Il sent bon.   ☐ **b.** Ils s'en vont.
3. ☐ **a.** Ce sont des problèmes.   ☐ **b.** Ce sont tes problèmes.
4. ☐ **a.** Elle travaille à Gand.   ☐ **b.** Elle travaille à Caen.
5. ☐ **a.** C'est un faux   ☐ **b.** C'est un feu.
6. ☐ **a.** Attention au bord !   ☐ **b.** Attention au beurre !
7. ☐ **a.** Elle court très vite.   ☐ **b.** Elle coule très vite.
8. ☐ **a.** Il a un visage rond.   ☐ **b.** Il a un visage long.

2. 🎧 **161** *Nicolas Gaillard rencontre des problèmes dans de nombreuses situations. Écoutez des extraits de conversations entendues dans quatre situations différentes. Prenez des notes. Pour chaque situation, trouvez le problème principal.*

1. Chez le médecin

....

....

2. Dans une agence de voyage

....

....

3. À la banque

....

....

4. Au restaurant

....

....

D Lire

1. Florence Imbert travaille chez Bricolex, une entreprise qui vend du matériel de bricolage.

Elle vient de recevoir l'email ci-dessous. Lisez ce mail. Puis répondez aux questions suivantes.

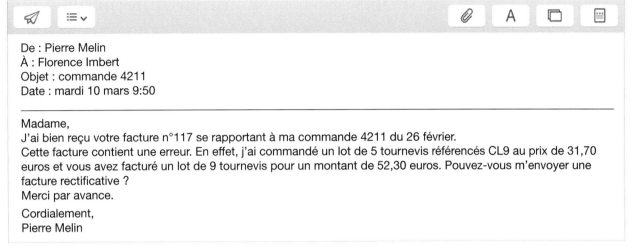

De : Pierre Melin
À : Florence Imbert
Objet : commande 4211
Date : mardi 10 mars 9:50

Madame,
J'ai bien reçu votre facture n°117 se rapportant à ma commande 4211 du 26 février.
Cette facture contient une erreur. En effet, j'ai commandé un lot de 5 tournevis référencés CL9 au prix de 31,70 euros et vous avez facturé un lot de 9 tournevis pour un montant de 52,30 euros. Pouvez-vous m'envoyer une facture rectificative ?
Merci par avance.

Cordialement,
Pierre Melin

1. Pierre Melin est-il un fournisseur ou un client de Bricolex ?

2. Quel est le problème ?

3. Qu'est-ce que Pierre Melin demande dans ce mail ?

4. Quelles sont les références de la commande ?

E Écrire

2. Vous recevez la facture ci-dessous. Il y a une erreur.

Trouvez cette erreur et sur le modèle du mail ci-dessus, écrivez un email de réclamation à Florence Imbert.

BRICOLEX

Facture n° 145

Votre commande n° 4335 du 25 avril

Réf.	Désignation	Prix unitaire	Quantité	Prix total HT
CL6	Lot de 6 clés	21,20	1	21,20
MR3	Marteau menuisier	15,90	1	31,80
Pour toute réclamation :		Total HT		53,00
contacter Florence Imbert		TVA 19 %		10,07
f.imbert@bricolex.com ou **02 45 66 29 12**		**Total TTC**		**63,07**

F Parler

 JOUEZ À DEUX

• **A :** Vous recevez la facture 145. Vous téléphonez à Bricolex pour expliquer le problème et pour demander une autre facture.

• **B :** Vous êtes Florence Imbert. Vous répondez à A. Commencez ainsi :
Société Bricolex, bonjour. Florence Imbert à l'appareil.

1. Les articles suivants sont extraits d'un journal économique.

a. 🎧 162 **Lisez-les ou écoutez.**

Emploi

**Le chômage continue
à augmenter**

Le chômage en France a atteint 9,5 % de la population active cette année, en augmentation de 0,4 % par rapport à l'année précédente. Les jeunes et les seniors sont particulièrement touchés. « Il est de plus en plus difficile de trouver un travail avant 25 ans et après 50 ans », résume Bernard Dubois, le directeur de l'Institut des Études Economiques.

Transports

**Les syndicats annoncent
une grève à la SNCF**

La circulation des trains est très perturbée aujourd'hui. Tous les syndicats de la SNCF appellent à une grève. Ils demandent l'ouverture d'une « véritable négociation » sur les salaires. La direction de la SNCF prévoit un TGV sur trois. Si vous prenez le train aujourd'hui, patience ! La grève doit prendre fin demain matin à 8 heures.

Environnement

**Dans certaines villes européennes,
respirer ce serait comme fumer**

Passer un week-end à Prague coûterait à vos poumons l'équivalent de quatre cigarettes. Deux à Amsterdam, Vienne ou Paris. Une à Dublin. Dans certaines capitales européennes, note une étude récente, respirer est aussi néfaste pour la santé que fumer. Un Parisien « fumerait » ainsi 183 cigarettes par an, sans même allumer une cigarette.

b. 🎧 163 **Complétez les comptes rendus ci-dessous. Puis écoutez pour vérifier.**

1. En France, le taux de chômage s'élève à _____. Il est particulièrement élevé chez les j_____ et les s_____. Les chômeurs de m_____ de 25 ans et de p_____ de 50 ans ont beaucoup de mal à _____ un emploi.

2. Les s_____ de la SNCF ap_____ aujourd'hui à une g_____. Ils d_____ des augmentations de s_____. Les voyageurs devront s'armer de p_____ car il est p_____ seulement un train _____ trois.

3. Une é_____ compare l'air de certaines villes e_____ à la fumée de c_____. Ainsi, respirer l'air de P_____ pendant un week-end équivaudrait à _____ quatre cigarettes.

2. À vous !

 Exposez brièvement trois problèmes de votre ville ou de votre pays.

1. Il est parfois difficile de distinguer une vraie d'une fausse information.

 Lisez ci-dessous ou écoutez. Ces informations vous paraissent-elles vraies au fausses ?

Bruxelles

**Le salaire des cuisiniers
va doubler**

Pour répondre aux critiques sur la faible rémunération de leur personnel, les propriétaires de restaurants de Bruxelles ont décidé de multiplier par deux le salaire de leurs cuisiniers. Cette décision sera effective à partir du 1er septembre dans tous les restaurants de la ville.

Suisse

**Les enfants de moins de 14 ans
peuvent travailler « s'ils ont envie »**

Interdit en Suisse depuis 1922, le travail des enfants sera de nouveau possible dans l'ensemble des cantons. L'Assemblée fédérale a voté à une large majorité une loi autorisant les enfants de 12 à 14 ans à exercer une activité salariée « s'ils ont envie ».

Paris

**Airbnb propose à la location
un tiers des logements parisiens**

En juin, Airbnb mettait sur le marché de la location de courte durée 33,4 % du parc immobilier total de Paris. Dans huit annonces sur dix, le site propose la location d'un « logement entier » pouvant en moyenne héberger trois personnes.

Chine

**Les Chinois
exportent du riz en plastique**

Lors d'une opération de contrôle, les douanes allemandes ont saisi une tonne de faux riz en provenance de Chine. Les sacs de riz contenaient des granulés en plastique mélangés à du riz organique. La Chine produit 150 millions de tonnes de riz par an.

2. À vous !

 Donnez librement deux informations : une vraie et une fausse. Pour chaque information, écrivez environ 30 mots.

Tranches de vie

1. Se rappeler ses petits boulots

A Jean et Laurette

Aujourd'hui, Jean et Laurette sont des collègues de travail. Ils évoquent des souvenirs d'enfance ou de jeunesse.

a. 🎧165 Mettez leur témoignage au passé, avec les verbes en rouge à l'imparfait. Puis écoutez.

> *Jean* : « Pendant l'été, je **travaille** comme guide au Jardin botanique de Montréal. Je **promène** les visiteurs dans le petit train. On **fait** le tour du jardin. Le voyage **dure** environ 10 minutes. Je m'**installe** à l'arrière avec un micro et je **dis** : « *Bonjour, good morning, bienvenue à bord de l'Ouragan !* » Nous **sommes** trois jeunes guides et on **rigole** beaucoup ».
>
> *Laurette* : « À l'âge de neuf ans, j'**aide** mes parents dans leur magasin. Nous **vendons** des produits électroménagers. Je **fais** un peu de tout, mais j'**aime** surtout à servir les clients. J'**ai** beaucoup de succès avec les vieilles dames. Quand une vieille dame **entre**, mon père **dit** : « Cette cliente, elle est pour Laurette ! »

b. Vrai ou faux ?

1. Jean aimait bien son travail.

2. Les parents de Laurette étaient commerçants.

B Audrey et Émile

1. Audrey et Émile travaillent chez KPG, une agence de communication.
Ils évoquent des souvenirs de jeunesse.

a. 🎧166 Lisez ci-dessous ou écoutez une partie de leur témoignage.

Audrey, *directrice artistique* : « Quand j'étais étudiante, je travaillais chaque soir dans un petit restaurant. [...] J'étais serveuse. Nous étions deux serveurs : Jean-Luc et moi. [...] Nous gagnions un fixe et des pourboires. En général, les clients étaient plutôt généreux, mais pas tous. Je me souviens d'un client bizarre. C'était un chanteur très connu, il habitait en face du restaurant et il venait souvent. [...]»

Émile, *directeur financier* : « Quand j'étais étudiant, je travaillais chaque été dans une banque. J'étais au guichet. [...] Certains clients n'étaient pas faciles. Quand ils n'étaient pas contents, ils devenaient agressifs et ils m'insultaient. Le directeur de l'agence s'appelait monsieur Legrand. [...] C'était un homme autoritaire et coléreux, il se fâchait pour un rien et tout le monde avait peur de lui. [...]. »

b. À quel souvenir correspond chaque dessin ?

Les clients étaient ....
plutôt généreux. ....

c. 🎧167 Écoutez les témoignages complets. Prenez des notes. Quelles nouvelles informations retenez-vous sur :

1. les parents d'Audrey ?

2. Jean-Luc ?

3. le client bizarre ?

4. l'agence bancaire (emplacement, local) ?

5. monsieur Legrand ?

6. l'ambiance de travail dans la banque ?

2. À vous !

Avez-vous eu un petit boulot ? C'était où ? Vous aviez quel âge ? Qu'est-ce que vous faisiez ? Comment étaient vos collègues de travail ? Racontez.

A Coup de colère

L'article suivant est extrait d'un journal marocain, *la Gazette de Casa*.

a. 🎧169 Lisez-le ou écoutez. Puis répondez aux questions suivantes.

RABAT

Un homme en colère jette son ordinateur par la fenêtre

Bernard Lévêque, un jeune Français de 27 ans, travaille au Maroc pour une ONG (Organisation non gouvernementale). Il s'occupe de logistique. Jeudi soir, ce jeune homme a jeté son ordinateur par la fenêtre de son bureau. L'événement a eu lieu à Rabat. Le bureau de l'ONG était situé dans la rue des Consuls, au sixième étage d'un immeuble « Jeudi, il était environ 18 heures, raconte Bernard Lévêque, j'étais seul au bureau. Je voulais terminer un travail important. Mais mon ordinateur est tombé en panne. C'était un très vieil ordinateur. J'étais furieux. J'ai essayé de le réparer. Impossible. Alors, j'ai piqué une colère. Je me suis levé, j'ai ouvert la fenêtre, j'ai pris l'ordinateur et je l'ai jeté dans la rue. Heureusement personne ne passait sous la fenêtre à ce moment-là. J'ai vraiment eu de la chance. »

1. Où et quand est-ce que l'accident est arrivé ?

2. Combien de personnes se trouvaient dans le bureau au moment de l'accident ?

3. Qu'est-ce que monsieur Lévêque voulait faire ?

4. Pourquoi est-ce qu'il s'est mis en colère ?

5. Qu'est-ce qu'il a fait ?

6. Pourquoi est-ce qu'il a eu de la chance ?

b. 🎧170 Un journaliste rapporte cette histoire à la radio. Il commet trois erreurs. Écoutez et notez les erreurs.

c. Racontez cette histoire en 30 mots environ.

_____
_____
_____
_____
_____

► GRAMMAIRE

Passé composé et imparfait

• Vous utilisez l'imparfait pour décrire le cadre de l'action, le contexte, la situation, une habitude, une action secondaire.
Le bureau **était** situé au sixième étage.
J'**étais** seul au bureau.
Je **voulais** terminer un travail.
J'**étais** furieux.
Personne ne **passait** sous la fenêtre.

• Vous utilisez le passé composé pour rapporter un événement, une action principale.
L'ordinateur **est tombé** en panne.
Je me **suis levé**.
J'**ai pris** l'ordinateur.
Je l'**ai jeté** par la fenêtre.

Pour aller plus loin
→ *Exercice B p. 130*

B Coup de génie

1. Les cinq paragraphes de l'article ci-dessous sont dans le désordre.

🎧 **171** Mettez-les dans l'ordre. Puis écoutez pour vérifier.

INTERNET

Elle demande aux internautes de payer ses dettes… et ça marche.

… Alors Karyn a créé un site Internet : « SaveKaryn.com ». Sur ce site, elle demandait de l'argent aux internautes. En échange, elle ne donnait rien.

… Karyn avait un problème : elle ne pouvait pas rembourser cette somme. Alors, comment faire ? Un jour, Karyn a eu une idée. C'était une idée très simple : elle devait convaincre 30 000 personnes de lui envoyer chacune un dollar.

1 Karyn, une jeune Suisse, aimait les beaux vêtements. Elle dépensait chaque jour

beaucoup d'argent avec sa carte de crédit. Résultat : elle avait beaucoup de dettes : elle devait 30 000 dollars.

… Le site a ainsi connu une notoriété rapide. Des milliers d'internautes ont

envoyé de l'argent à la jeune femme. Trois mois plus tard, Karyn pouvait rembourser toutes ses dettes.

… Ensuite, Karyn a raconté cette histoire dans un livre et elle a vendu des milliers de livres dans le monde entier.

… Pour faire connaître son site, Karyn a optimisé le référencement de son site sur les moteurs de recherche, notamment sur Google, et elle a beaucoup communiqué sur les réseaux sociaux.

2. 👤 À vous !

Récrivez chaque phrase en mettant un verbe à l'imparfait et l'autre au passé composé. Puis ajoutez librement une ou deux phrases à la suite.

1. Je (*jouer*) en ligne quand la chef (*entrer*).

Je jouais en ligne quand la chef est entrée.

J'ai arrêté tout de suite et j'ai ouvert le dossier Cerise.

2. Nous (*être*) dans le magasin quand nous (*entendre*) une explosion.

3. Le feu (*être*) rouge, mais la voiture (*ne pas s'arrêter*).

4. Avant, elle (*travailler*) chez Fimex. Un jour, elle (*perdre*) son emploi.

5. Elle (*démissionner*) parce qu'elle (*ne pas s'entendre*) avec son patron.

6. Il (*être*) embauché parce qu'il (*connaître*) le patron.

7. Elle (*naître*) au Brésil mais ses parents (*être*) français.

👥 JOUEZ À DEUX

- **A :** Consultez le dossier 5 page 121.
- **B :** Consultez le dossier 12 page 123.

▸ PHONÉTIQUE

[ə]-[e]-[ɛ] : J'AI PENSÉ-JE PENSAIS

🎧 **172** Écoutez. Numérotez les mots dans l'ordre où vous les entendez. Puis répétez dans l'ordre ci-dessous (a, b, c).

1. ☐ **a.** Je donne.　　**2.** ☐ **a.** Je dépense.
　　☐ **b.** J'ai donné.　　　　☐ **b.** J'ai dépensé.
　　☐ **c.** Je donnais.　　　　☐ **c.** Je dépensais.

3. ☐ **a.** Il se repose.　**4.** ☐ **a.** Tu te dépêches.
　　☐ **b.** Il s'est reposé.　　☐ **b.** Tu t'es dépêché.
　　☐ **c.** Il se reposait.　　　☐ **c.** Tu te dépêchais.

A Autobiographie

Fimex est une entreprise industrielle. Eric Billard a fait toute sa carrière dans cette entreprise.
À la fin de sa carrière, il était directeur d'usine.

 Écoutez ou lisez.

Bonjour, je m'appelle Eric Billard et j'ai 65 ans. Pendant 40 ans, j'ai travaillé chez Fimex, une entreprise qui fabrique du matériel électrique. J'ai pris ma retraite il y a deux ans. Maintenant je vis à Saint-Malo, la ville où je suis né.

Je suis entré chez Fimex tout de suite après mes études. J'avais 23 ans. À la fin de mon entretien d'embauche, le recruteur m'a dit : « Vous êtes exactement la personne que nous recherchons ». Il y avait 70 candidats. C'est moi qui ai obtenu le poste.

Au bout de six mois, je suis parti au Mexique pour cinq jours. C'était mon premier voyage d'affaires. Je suis revenu avec un contrat de 8 millions de dollars dans la poche. Le Mexique est un pays que j'ai adoré et où j'ai gardé beaucoup d'amis.

Madame Dumont était la responsable du service Recherche et Développement. J'ai travaillé avec elle pendant quelques années. Nous ne nous entendions pas très bien. C'est moi qui avais les idées, mais c'est elle qui décidait. Un jour, elle est partie et j'ai pris sa place.

À Montreuil, une ville située près de Paris, nous avions une usine qui ne produisait pas assez et où il y avait beaucoup de grèves. C'était une usine que la direction voulait fermer. Un jour, le président m'a dit : « Monsieur Billard, vous êtes la dernière chance de Montreuil. »

J'ai pris la direction de l'usine. J'ai réussi à doubler la production en trois ans. Sous ma direction, il n'y a jamais eu de grève. Mon adjoint, Nicolas Perrin, avait une grande admiration pour moi. Depuis mon départ, c'est lui qui dirige l'usine.

B Succession

1. M. Billard a fait une belle carrière.

a. Vrai ou faux ?

1. Eric Billard est en retraite depuis deux ans.

2. Il est entré chez Fimex il y a plus de 40 ans.

3. Il a travaillé dans le service R & D pendant six mois.

4. Il a pu doubler la production de l'usine de Montreuil en moins de cinq ans.

5. M. Perrin dirige l'usine de Montreuil depuis deux ans.

b. Complétez les phrases suivantes. Mettez en relief avec un pronom relatif (où, qui, que).

1. Fimex, c'est une entreprise *qui fabrique du matériel électrique*.

2. Saint-Malo, c'est une ville _____

3. Le Mexique, c'est un pays _____

4. Mme Dumont, c'est la personne _____

5. Montreuil, c'est _____

6. L'usine de Montreuil, c'est _____

7. M. Perrin, c'est _____

8. Éric Billard, c'est _____

2. M. Perrin a pris la succession.

a. Complétez avec les mots suivants :

il y a / depuis / pendant / pour / qui

1. M. Perrin, _____ travaille chez Fimex _____ dix ans, a pris la direction de l'usine _____ les trois prochaines années.

2. M. Perrin connaît bien Eric Billard. Il l'a rencontré _____ sept ans et il a été son adjoint _____ quatre ans. »

b. Écoutez M. Perrin, répondez aux questions suivantes.

1. Quel âge à Monsieur Perrin ?

2. Quelle est sa formation ?

3. Il y a deux erreurs dans les phrases de l'exercice **a**. Quelles sont-elles ?

c. 🎧175 Écoutez la suite du témoignage de M. Perrin. Que pense-t-il de M. Billard ? Êtes-vous d'accord ? Pourquoi ?

3. 🎤 À vous !

Racontez quelques événements marquants de votre vie familiale, professionnelle ou estudiantine.

GRAMMAIRE

Les indicateurs de temps

• **Durée de l'action :**
J'ai travaillé à Paris **pendant** un an.

• **Durée prévue :**
Je suis parti **pour** un an.

• **Durée nécessaire :**
J'ai fait ce travail **en** trois jours.

• *L'action continue :*
Je travaille **depuis** trois mois /le 1er février.

• *L'action est terminée :*
J'ai travaillé à Paris **il y a** deux ans.

Pour aller plus loin
→ *Exercices A, B, C, page 136*

GRAMMAIRE

Les pronoms relatifs

• *qui = sujet*
La personne **qui** vous cherche est ici.

• *que (ou qu') = complément d'objet*
La personne **que** vous cherchez est ici.

• *où = complément de lieu*
Il habite dans la ville **où** il est né.

⚠ *La mise en relief*
C'est moi **qui** ai gagné.
C'est la personne **qu'**on recherche.
C'est la ville **où** il est né.

Pour aller plus loin
→ *Exercices A, B, page 139*

PHONÉTIQUE

La mise en relief

🎧176 Écoutez. Répétez. Accentuez le pronom tonique. Marquez l'intonation.

1. C'est moi↑ qui ai fait ça↓.

2. C'est toi↑ qui as raison↓.

3. C'est lui↑ qui a gagné↓.

4. C'est elle↑que j'aime↓.

5. C'est nous↑ que ça regarde↓.

6. C'est vous↑ que je cherchais↓.

7. C'est eux↑ qui sont responsables↓.

8. C'est elles↑ qui ont commencé↓.

Témoignages

Au travail, certaines situations peuvent être stressantes.

a. **Lisez les témoignages ci-dessous et écoutez. Soulignez les pronoms « en ».**

Pierre Lafarge,
chef de chantier

Du stress ? Oui, bien sûr, il y en a, comme partout. J'ai neuf ouvriers sous ma direction, ce n'est pas facile à gérer. Aujourd'hui, par exemple, j'en ai un qui est tombé d'une échelle et qui s'est cassé le poignet. Des problèmes de ce genre, j'en ai dix par jour. Le stress au travail, je crois que c'est normal, ça ne m'empêche pas de dormir.

Rémy Breton,
réceptionniste dans un hôtel

Hier matin, j'étais au petit déjeuner, dans la salle du restaurant. Il y avait un enfant qui voulait des frites. Mon collègue lui a expliqué qu'on ne servait pas de frites au petit déjeuner. Alors, le petit a piqué une crise, il a commencé à crier : « J'en veux ! J'en veux ! ». Les parents ne disaient rien. De la patience, quelquefois, il en faut, je vous assure.

Vincent Avril,
chef d'entreprise

Cette année, j'ai payé plus de 20 000 euros d'impôts. Je trouve que c'est beaucoup, n'est-ce pas ? Eh bien, aujourd'hui, j'ai reçu une lettre du fisc. Il m'en réclame encore 8 000. J'ai déjà du mal à payer mes salariés. Les trois derniers mois, les affaires ne marchaient pas du tout, j'ai dû en licencier deux. Qu'est-ce que je vais faire ?

b. Récrivez les phrases avec les mots que _en_ remplace.

1. Oui, bien sûr, il y _en_ a.

→ *Oui, bien sûr, il y a du stress.*

2. J'en ai un qui est tombé d'une échelle.

3. J'en ai dix par jour.

4. J'en veux, j'en veux.

5. Quelquefois il en faut.

6. Il m'en réclame encore 8 000.

7. J'ai dû en licencier deux.

c. Le plus souvent, Rémy Breton travaille la nuit. Imaginez une réponse aux questions suivantes. Si possible, utilisez le pronom « en ».

1. Est-ce que Rémy a beaucoup de travail ?

2. Est-ce qu'il a des difficultés dans son travail ?

Si oui, lesquelles ?

3. Est-ce qu'il boit du café ? Si oui, combien de tasses peut-il boire en une nuit ?

 Maintenant écoutez et vérifiez vos réponses.

> ### GRAMMAIRE
>
> ### Le pronom *en*
>
> • **En** remplace un nom précédé :
> – d'un article indéfini (*un, une, des*)
> *Il a une voiture.* → *Il **en** a **une**.* (en = une voiture)
> *Tu prends des risques.* → *Tu **en** prends.* (en = des risques)
> – d'un article partitif (*du, de l', de la, des*)
> *Il vend du vin.* → *Il **en** vend.* (en = du vin)
> *Je bois de l'eau.* → *J'**en** bois.* (en = de l'eau)
> – d'un terme de quantité (*un, deux, trente, un kilo de, beaucoup de, assez de, trop de…*)
> *Il achète un kilo de pommes.*
> → *Il **en** achète **un kilo**.*
>
> • À la forme négative :
> *Il ne boit pas de vin.* → *Il n'**en** boit **pas**.*
> *Je n'ai pas de chance.* → *Je n'**en** ai **pas**.*
>
> ***Pour aller plus loin***
> → *Exercice C page 129*

B Explications

1. Les causes et les conséquences du stress sont multiples.

a. 🎧 179 **Lisez l'article ci-dessous ou écoutez.**

Du stress au travail : des causes aux conséquences

Le stress est présent partout, et particulièrement dans le monde du travail. Dans le secteur de la santé et des actions sociales, par exemple, près de la moitié des actifs se disent en « état d'hyperstress ».

Au travail, le stress a des causes multiples : il peut résulter du manque d'autonomie, de la charge de travail, de la peur de ne pas réussir, de problèmes relationnels, du bruit, des incertitudes sur l'avenir, de la difficile conciliation entre vie familiale et vie professionnelle, etc.

Les personnes stressées sont anxieuses. Elles sont souvent irritables, démotivées, voire déprimées. Elles ont du mal à dormir et à se concentrer. Certaines augmentent leur consommation

de substances toxiques (tabac, alcool, médicaments, café, etc.).

b. *Dans le monde du travail*, dit l'article, *près de 50 % des personnes se sentent « hyper stressés ».* Vrai ou faux ?

c. Dites à quels mots de l'article ci-dessus se réfèrent les déclarations suivantes.

1. Je m'énerve pour un rien.

→ *« irritable »*

2. Je n'arrive plus à réfléchir.

→ *« du mal à se concentrer »*

3. Je fume beaucoup.

4. Je ne m'entends pas avec mes collègues.

5. Je fais des cauchemars.

6. Mon bureau donne sur l'autoroute.

7. J'ai dix dossiers à traiter en même temps.

8. Je n'ai plus envie d'aller travailler.

9. Il m'arrive de pleurer.

10. Mon chef me surveille sans arrêt.

11. Je ne vais pas y arriver

12. La direction a annoncé des licenciements.

2. **À vous !**

Écrivez des phrases sur des situations de stress.

Pour chaque situation, considérez une cause et une conséquence.

Mon ami Paul a peur de perdre son travail. Il passe des nuits blanches.

PHONÉTIQUE

[f]-[v] : FER-VER

🎧 180 **Écoutez. Répétez.**

1. fer/ver – feu/veut – font/vont

2. enfin/en vain – la foire/l'avoir

3. actif/active – relatif/relative

4. c'est faux/c'est vrai.

5. Je voudrais des frites, s'il vous plaît.

Pour aller plus loin
→ *Phonétique n°10, p. 144*

A Injonctions

1. Blanche Janin travaille chez Mobilia, un fabricant de meubles.

a. 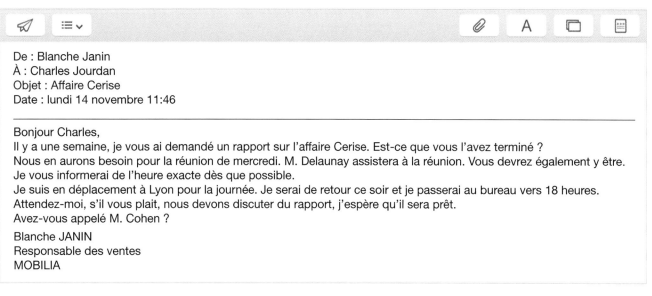 Lisez le mail ci-dessous ou écoutez. Soulignez les verbes au futur. Donnez leur infinitif.

De : Blanche Janin
À : Charles Jourdan
Objet : Affaire Cerise
Date : lundi 14 novembre 11:46

Bonjour Charles,
Il y a une semaine, je vous ai demandé un rapport sur l'affaire Cerise. Est-ce que vous l'avez terminé ?
Nous en aurons besoin pour la réunion de mercredi. M. Delaunay assistera à la réunion. Vous devrez également y être.
Je vous informerai de l'heure exacte dès que possible.
Je suis en déplacement à Lyon pour la journée. Je serai de retour ce soir et je passerai au bureau vers 18 heures.
Attendez-moi, s'il vous plait, nous devons discuter du rapport, j'espère qu'il sera prêt.
Avez-vous appelé M. Cohen ?

Blanche JANIN
Responsable des ventes
MOBILIA

b. Vrai, faux ou « Non précisé » ?

1. Charles est un client de Mobilia.

2. Il y aura une réunion le 16 novembre.

3. Blanche ne connaît pas l'heure de la réunion.

4. Au moins trois personnes assisteront à la réunion.

5. Blanche a vu Charles ce matin.

6. Ils devraient se voir dans la soirée.

7. Charles a un rendez-vous avec M. Cohen à 18 heures.

c. « *Vous devrez également y être.* »
Qu'est-ce que le pronom « y » remplace dans cette phrase ?

2. Voici les dix commandements du travailleur modèle.

a. Mettez le verbe au futur simple.

1. Arriver tôt au travail.

   Tu arriveras tôt au travail.

2. Faire des heures supplémentaires.

3. Ne jamais dire « Non » à son chef.

4. Ne pas se disputer avec ses collègues.

5. Ne pas remettre les choses au lendemain.

b. Imaginez les cinq commandements suivants.

> **GRAMMAIRE**
>
> ### Le futur simple
>
> | | |
> |---|---|
> | je travaille**rai** | nous travaille**rons** |
> | tu travaille**ras** | vous travaille**rez** |
> | il/elle travaille**ra** | ils/elles travaille**ront**. |
>
> • **Et aussi :** je fini**rai** (finir), je parti**rai** (partir), je prend**rai** (prendre), etc.
>
> • **Verbes irréguliers :** je serai (être), j'aurai (avoir), j'irai (aller), je pourrai (pouvoir), je devrai (devoir), je ferai (faire), je viendrai (venir), j'enverrai (envoyer), je verrai (voir), etc.

> **GRAMMAIRE**
>
> ### Le pronom y
>
> **Y** remplace un lieu indiquant une situation ou une destination.
> *Elle est au bureau ? – Oui, elle **y** est.*
> *Elle va à la réunion ? – Oui, elle **y** va.*
>
> ***Pour aller plus loin***
> → *Exercices C et D page 135*

B Procrastination

1. Blanche Janin discute avec Charles.

a. Complétez le dialogue ci-dessous avec les verbes suivants, au futur :

avoir / chercher / être / faire / finir / téléphoner

 Écoutez pour vérifier.

> *Blanche :* Charles, est-ce que vous avez écrit le rapport Cerise ?
>
> *Charles :* J'ai presque fini, je _____ demain, ne vous inquiétez pas ! Vous avez vu le temps ? Il pleut sans arrêt.
>
> *Blanche :* Charles, s'il vous plaît, ne changez pas de sujet !
>
> *Charles :* Demain il _____ beau, il y _____ du soleil toute la journée.
>
> *Blanche :* Oui, oui, je sais, j'ai vu la météo. Est-ce que vous avez téléphoné à monsieur Cohen ?
>
> *Charles :* Pas encore. Je _____ demain, quand j'_____ une minute.
>
> *Blanche :* Non, Charles, demain, vous ne _____ pas à monsieur Cohen.
>
> *Charles :* Si, si, je vous assure.
>
> *Blanche :* Non, Charles, demain vous ne _____ pas dans votre bureau.
>
> *Charles :* Si, madame, j'y _____ à 8 heures précises, je vous promets.
>
> *Blanche :* Non, demain, Charles, vous _____ du travail. Demain _____ un autre jour. Vous _____ au chômage.
>
> *Charles :* Qu'est-ce que vous voulez dire, madame ?

b. Répondez aux questions suivantes.

1. Quelles sont les deux tâches que Charles n'a pas terminées ?

2. Que fera Charles demain ? Selon Charles ? Selon Blanche ?

3. Que répondez-vous à la dernière question de Charles ?

c. À vous ! Écrivez quatre phrases sur votre emploi de temps de demain. Soyez précis.

À 9 heures, j'assisterai à une réunion de service dans la salle 34.

1. _____
2. _____
3. _____
4. _____

2. Demain c'est bien aussi.

183 **Lisez le texte ci-dessous ou écoutez. Puis répondez aux questions**

Procrastiner un peu mais pas trop

Procrastiner, c'est remettre les choses à plus tard. Le rendez-vous chez le dentiste ? La semaine prochaine. Ranger mon bureau ? Ça peut attendre. Selon certaines enquêtes, nous procrastinons de plus en plus, la faute notamment aux réseaux sociaux, qui nous détournent des tâches pénibles. La plupart du temps, retarder une action a une incidence minime sur notre vie. Mais il y a des limites. Quand le procrastinateur pense tout le temps à ses tâches non achevées, la procrastination génère de l'angoisse et du stress.

1. D'après ce texte, qu'est-ce que la procrastination ? Quel type de tâches reportons-nous ? À qui la faute surtout ?

2. Quels sont les effets de la procrastination ?

3. Procrastinez-vous ? Par exemple ? Que faites-vous pour ne pas (trop) procrastiner ?

PHONÉTIQUE

[ʃ]-[ʒ] : CHARLES-JACQUES

184 **Écoutez. Répétez.**

1. chou/joue – chose/j'ose
2. boucher/bouger – cachot/cageot
3. Blanche Janin et Charles Jourdan
4. Bonjour Charles.
5. Ne changez pas de sujet !

Pour aller plus loin
→ *Phonétique n°9, page 144*

Faire le point

A Vocabulaire

1. Complétez.

1. Il a 64 ans, il va bientôt prendre sa re_____.

2. En ce moment, le directeur est en voyage d'af_____ aux États-Unis.

3. Les ouvriers font gr_____ pour obtenir de meilleures conditions de travail.

4. Il ne supportait plus son travail, il a dém_____.

5. Tu peux me prêter 20 euros ? Je te rem_____ demain.

6. Je cherche du travail, je suis au ch_____ depuis trois mois.

7. Le patron m'a demandé de faire un ra_____ sur les problèmes d'absentéisme.

8. Elle travaille chez Peugeot, au se_____ du personnel.

9. Il est toujours en retard, il ne respecte jamais les dé_____.

10. Micromania est une chaîne de ma_____ informatique bien connue.

2. Associez les phrases de sens équivalent.

1. Il fait une belle carrière.	→ c	**a.** Il doit de l'argent.
2. Il a des dettes.	→ ...	**b.** Il ne s'entend avec personne.
3. Il fait des heures supplémentaires.	→ ...	**c.** Il réussit bien, professionnellement.
4. Il se fâche.	→ ...	**d.** Il se met en colère.
5. Il se dispute avec tout le monde.	→ ...	**e.** Il change de domicile.
6. Il déménage.	→ ...	**f.** Il travaille beaucoup.
7. Il change de sujet.	→ ...	**g.** Il travaille chez lui.
8. Il travaille à domicile.	→ ...	**h.** Il parle d'autre chose.

3. 🎧 *185* **Choisissez les termes qui conviennent. Puis écoutez pour vérifier.**

1. Elle donne de l'argent à tout le monde, elle est très _____.

☐ généreuse ☐ coléreuse

☐ agressive ☐ absente

2. Il a été licencié parce qu'il était _____.

☐ fatigué ☐ professionnel

☐ stressé ☐ incompétent

3. Arrête de parler, tu nous _____ de travailler.

☐ insultes ☐ informes

☐ réussis ☐ empêches

4. Combien est-ce que tu as _____ pour les courses hier ?

☐ financé ☐ dépensé

☐ servi ☐ géré

5. J'ai fait le ménage, j'ai _____ tous les vieux papiers.

☐ fabriqué ☐ jeté

☐ réclamé ☐ envoyé

6. Il _____, il gagne toujours.

☐ tombe en panne ☐ a du mal

☐ a de la chance ☐ obtient le poste

7. Les ouvriers sont en grève, ils _____ des augmentations de salaire.

☐ réclament ☐ payent

☐ promettent ☐ remboursent

8. Paul travaille pour une multinationale qui emploie près de 300 000 _____.

☐ gens ☐ salariés

☐ fonctionnaires ☐ clients

9. Paul reçoit une _____ de fin d'année égale à un mois de salaire.

☐ monnaie ☐ pension

☐ prime ☐ somme

B Grammaire

1. (186) **Lisez ou écoutez. Puis récrivez l'histoire dans le tableau ci-dessous.**

Bonjour, je m'appelle Caroline. La semaine dernière, j'ai passé deux jours à Paris. Je suis descendue dans un hôtel bon marché. C'était terrible. Je n'ai pas du tout aimé. Dans la chambre, il faisait un froid de canard. L'ascenseur ne fonctionnait pas. Le réceptionniste dormait tout le temps. J'ai expliqué ces problèmes au directeur, mais il n'a rien fait. Je ne retournerai plus dans un hôtel bon marché. La prochaine fois, je ferai comme monsieur Laval, mon patron, je descendrai dans un hôtel quatre étoiles.

Passé composé	Imparfait	Futur
J'ai passé deux jours à Paris.	....	....
....	....	....
....	....	....
....	....	....
....	....	....
....	....	....

2. Mettez au passé composé, à l'imparfait et au futur.

1. Il vient à la réunion.

Il est venu/il venait/il viendra à la réunion.

2. Je finis mon travail.

3. Ils attendent une réponse.

4. Vous dormez toute la journée.

5. On part de bonne heure.

6. Nous employons 50 personnes.

7. Je m'inscris à l'université.

8. Elle cherche un travail.

9. Je ne peux pas venir.

10. Il pleut sans arrêt.

3. Choisissez la bonne réponse.

1. J'ai un ami | qui | que | où | parle sept langues.

2. Voilà le magasin | qui | que | où | il travaillait.

3. Je crois | qui | que | où | vous avez raison.

4. Il est malade | depuis | il y a | en | trois jours.

5. Son entreprise va l'envoyer en Espagne | en | depuis | pour | six mois.

6. On ne peut pas apprendre une langue | en | dans | pour | deux semaines.

7. J'ai créé mon entreprise | depuis | en | il y a | dix ans.

8. De l'expérience ? Paul | en | l' | y a | beaucoup, il a travaillé quinze ans dans une banque.

9. Le salon de l'automobile ouvre demain. Vous | en | l' | y | allez ?

10. Dans l'équipe de Paul, | chacun | chacune | chaque | a une tâche différente

C Écouter

1. 🎧 187 Ces trois personnes sont arrivées à Paris il y a peu de temps. Elles expliquent pourquoi et pour combien de temps elles sont ici. Écoutez-les, prenez des notes, puis complétez le tableau.

	Yasmine	William	Markus
Nationalité	....	....	....
Profession	....	....	....
Trois autres informations (Faites des phrases complètes).	1. *Elle est arrivée en France il y a trois mois.* 2. .... 3.	1. .... 2. .... 3.	1. .... 2. .... 3. ....

2. 🎧 188 Entendez-vous le son [u] comme dans « loup », [y] comme dans « lu » ou [i] comme dans « lit » ? Dans quels mots ?

	[u]	[y]	[i]	
1	✔			*bonjour*
2				
3				
4				
5				
6				

4. 🎧 190 Entendez-vous le son le son [ã] comme dans « blanc » ? Si oui, dans quels mots ?

	oui	non	
1		✔	
2			
3			
4			
5			
6			

3. 🎧 189 Cochez ce que vous entendez.

1. ☐ **a.** C'est fou.   ☐ **b.** C'est vous.
2. ☐ **a.** Tu es passif.   ☐ **b.** Tu es passive.
3. ☐ **a.** Il essaye enfin.   ☐ **b.** Il essaye en vain.
4. ☐ **a.** Ça bouche.   ☐ **b.** Ça bouge.
5. ☐ **a.** C'est lâche   ☐ **b.** C'est l'âge.

5. 🎧 191 Entendez-vous la phrase avec la liaison ou sans la liaison ?

1. ☐ **a.** Il était‿en retard.   ☐ **b.** Il était en retard.
2. ☐ **a.** Il faut‿y aller.   ☐ **b.** Il faut y aller.
3. ☐ **a.** Il n'est plus‿ici.   ☐ **b.** Il n'est plus ici.
4. ☐ **a.** C'est‿incroyable.   ☐ **b.** C'est incroyable.
5. ☐ **a.** Deux‿ou trois.   ☐ **b.** Deux ou trois.

D Lire

1. 🎧 **192** Les six paragraphes suivants racontent la vie de Philippe Bosc, un créateur d'entreprise. Ces paragraphes sont dans le désordre. Mettez-les dans l'ordre, de 1 à 6. Puis écoutez pour vérifier.

> À son retour du service militaire, c'est le chômage. Il a 19 ans. Il aide un ami boulanger à vendre du pain au domicile des personnes âgées. « *Je livrais du pain dans les petits villages. Les gens me connaissaient comme coiffeur. Ils me demandaient de les coiffer. Petit à petit, j'ai abandonné le métier de livreur de pain. Je suis devenu coiffeur à domicile.* », explique-t-il.
>
> **a**

> Philippe Bosc naît en 1974 à Soultz, en Alsace, où il passe son enfance. Le petit Philippe n'aime pas l'école. « *Je m'ennuyais sur les bancs de l'école. Je voulais apprendre un métier manuel. J'ai quitté l'école à 14 ans.* », raconte-t-il. De 14 à 18 ans, il est apprenti dans un salon de coiffure. À 18 ans, il rate son diplôme de coiffeur. Il part à l'armée pour un an.
>
> **b**

> Le jeune patron comprend qu'il y a un marché national. Il embauche des coiffeuses dans d'autres régions. En 2008, il introduit la société à la Bourse de Paris. En 2012, la société emploie près de 3000 salariés dans toute la France.
>
> **c**

> Pendant sept ans, Philippe Bosc travaille comme coiffeur à domicile. En 2002, il crée une société de coiffure à domicile avec un capital de 3500 euros. « *Je ne voulais plus travailler moi-même. Je voulais embaucher une dizaine de coiffeuses* », explique-t-il.
>
> **d**

> Cette année-là, Philippe Bosc vend ses parts à un fonds d'investissement pour 51 millions d'euros. Il a 37 ans. Il est riche. « *L'argent n'a pas changé grand-chose. Je suis resté le même garçon. Aujourd'hui, je vis dans mon village natal. J'ai gardé les copains de mes 20 ans.* », conclut-il.
>
> **e**

> Philippe Bosc passe une offre d'emploi dans le journal L'Alsace. Il obtient seulement deux réponses. « *J'ai téléphoné à un journaliste du journal. J'ai dit que j'allais créer des emplois dans la région.* », explique-t-il. Le journaliste écrit un article. « *J'ai reçu 400 réponses. En un an, j'ai embauché 85 coiffeuses.* », poursuit Philippe Bosc.
>
> **f**

E 🖊 Écrire

2. Écrivez librement un texte sur la vie de Philippe Bosc de 2012 jusqu'à aujourd'hui.

F Parler

👥 **JOUEZ À DEUX**

Posez les questions suivantes à votre voisin(e) et répondez.
Poursuivez la conversation pendant environ deux minutes.
1. Où étiez-vous il y a 10 ans ? Qu'est-ce que vous faisiez ?
2. Où serez-vous dans 10 ans ? Qu'est-ce que vous ferez ?

Entre cultures : l'expatriation

1. Tom, Harry et Lizbeth travaillent à Paris. Ils parlent de leur vie en France.

a. 🎧 **Lisez ou écoutez leur témoignage.**

Thomas
américain, avocat

Harry
hongkongais, consultant

Lizbeth
allemande, étudiante, au pair

Bonjour, je m'appelle Tom, je travaille à Paris depuis deux ans. Quelquefois je voyage en France pour mon travail. La France est un pays magnifique. Chaque région est différente. Les paysages, la gastronomie, le mode de vie, tout est différent. En province, les gens sont plus aimables, plus accueillants qu'à Paris. Je voyage surtout en train. Les trains sont ponctuels, confortables, rapides, mais malheureusement, il y a souvent des grèves. Au travail, j'ai de bonnes relations avec mes collègues français. Par contre, je n'aime pas l'administration française. Il y a trop de bureaucratie, trop de formalités administratives, trop d'impôts, je trouve que l'Etat n'aime pas les entreprises.

Bonjour, je suis Harry Chen. Je suis arrivé à Paris il y a un an. Je travaille dans une banque. Je fais un peu le même travail qu'à Hong Kong, c'est un travail très intéressant, mais ici, je dois parler français, et c'est beaucoup plus difficile. J'aime beaucoup Paris. C'est la plus belle ville du monde, on dirait un musée, et le climat est agréable. Mais pour moi, la vie est moins pratique qu'à Hong Kong. Par exemple, je n'ai pas de femme de ménage, pas encore, c'est moi qui dois faire les courses pour la maison, et je déteste faire des achats à Paris. Quand vous entrez dans un magasin, le vendeur n'a pas l'air content, il ne sourit pas, on a l'impression de le déranger, je trouve ça très désagréable.

Bonjour, je suis Lizbeth, je fais des études à Paris et je travaille comme jeune fille au pair. La famille a trois enfants de quatre, dix et douze ans. Ils vont à l'école et ils y restent toute la journée, même le petit. Les parents travaillent beaucoup et voient peu leurs enfants. Heureusement, c'est différent en Allemagne, les mamans s'occupent de leurs enfants, surtout quand ils sont petits. C'est moi qui aide les enfants à faire leurs devoirs à la maison, ce sont des devoirs pour des intellectuels, pas pour des enfants. Les parents français sont obsédés par l'école, ils poussent leurs enfants à être les premiers de la classe, ils leur offrent des cadeaux quand ils ont de bonnes notes. En Allemagne, les enfants ont du temps pour jouer.

b. À votre avis, qui a fait les déclarations suivantes ?

	Thomas	Harry	Lizbeth
1. En France, le client n'est pas roi.	☐	☐	☐
2. J'aime bien me promener dans la campagne.	☐	☐	☐
3. Mes collègues refusent de parler anglais avec moi.	☐	☐	☐
4. Les Français n'ont pas de vie familiale.	☐	☐	☐
5. Paris est réputée pour la beauté de ses monuments.	☐	☐	☐
6. Les fonctionnaires nous empêchent de travailler.	☐	☐	☐
7. Dès le plus jeune âge, il y a un esprit de compétition.	☐	☐	☐

2. À vous !

Avez-vous déjà vécu à l'étranger ? Racontez.

1. Violette et Lucas sont de vieux amis.

a. 🎧194 **Lisez le texte ci-dessous ou écoutez.**

Violette est née à Biarritz, dans le sud de la France. C'est là qu'elle a grandi et qu'elle a fait toute sa scolarité. Lucas est né à Lille, dans le nord de la France. Quand Lucas avait trois ans, son père a trouvé un emploi à Bruxelles et toute la famille a déménagé en Belgique. À 18 ans, Lucas est revenu en France pour étudier dans une école d'ingénieurs.

L'école était située à Lyon. Violette étudiait également dans cette école, dans la même promotion que Lucas. C'est là qu'ils se sont connus. À Lyon, ils ne se fréquentaient pas beaucoup. Puis au cours de leur dernière année d'étude, tous deux ont fait un stage de dix mois à Stockholm (en Suède). Ils travaillaient dans deux entreprises différentes, mais ils se voyaient très souvent en dehors du travail.

Quand Violette a obtenu son diplôme d'ingénieur, elle a travaillé pendant quatre ans à Paris chez ETT, un cabinet de consultants. Puis elle a trouvé un poste à Londres, toujours chez ETT, un poste qu'elle occupe encore actuellement. À la fin de ses études, Lucas a travaillé pendant un an à l'Ambassade de France à Pékin, puis deux ans à Hong Kong pour l'antenne locale d'une société française d'ingénierie informatique. Aujourd'hui il travaille dans une banque à Paris. Lucas et Violette ont tous deux 29 ans.

b. Répondez aux questions suivantes.

1. Où Violette et Lucas sont-ils allés à l'école quand ils étaient enfants ?

_____

2. Quel âge avaient-ils quand ils se sont rencontrés ?

_____

3. À quel moment et où sont-ils devenus des amis proches ?

_____

4. Dans quel type d'entreprise et dans quelle ville travaillent-ils maintenant ?

_____

5. Dans quelles autres villes ont-ils travaillé ?

_____

6. Comment s'appelle la période pendant laquelle un enfant va à l'école ?

_____

7. Comment s'appelle l'ensemble des candidats admis la même année dans une école ?

_____

2. À vous !

Parlez de vous. Apportez librement toutes sortes d'informations.

1. Violette est née à Biarritz, dans le sud de la France.
Moi, je suis née à Bilbao, dans le nord de l'Espagne.
Bilbao est la capitale du Pays Basque espagnol.
Elle est située au bord de la mer.

2. Violette a aussi grandi à Biarritz.

3. Elle avait un chien qui s'appelait Max.

4. Elle est entrée pour la première fois à l'école à l'âge de trois ans.

5. Elle aimait beaucoup l'école.

6. Elle a toujours eu de bons professeurs.

7. Elle était très bonne en maths.

8. Quand elle était au lycée, elle faisait beaucoup de sport, notamment du tennis.

9. Enfant, elle voulait devenir infirmière.

10. Finalement, elle a fait des études d'ingénieur.

Dossier 1 *(page 9)*

a. Dictez ces dix chiffres à la personne B.

13	8	15	4	3

11	5	7	12	9

b. Écoutez B. Écrivez les dix chiffres de B.

c. Vérifiez vos réponses avec B.

Dossier 2 *(page 13)*

a. Lisez à la personne B ces groupes de trois lettres.

vdq	ugh	cso	rtu	mng	nnj
hee	ine	eék	qnn	eap	éab

b. Écoutez la personne B. Entourez les groupes de trois lettres que vous entendez.

mbq	fjê	iàn	dwv
mpq	fjé	hçe	dww
mbk	huc	hce	dvv
wro	huç	kjf	rce
ksé	wmm	kfb	rçe
ghè	wmm	kfp	zjj
jhe	wnn	kvt	zjg
ghe	ian	kwt	zjj
fgé	iàm	bww	zgg

c. Vérifiez vos réponses avec la personne B.

Dossier 3 *(page 60)*

a. Vous réalisez une enquête sur les transports. Remplissez le formulaire ci-dessous. Posez les questions à la personne B. Notez les réponses. Utilisez la boîte à outils.

Boîte à outils

Où/Dans quelle ville est-ce que... ?

Dans quel pays est-ce que... ?

Dans quelle entreprise est-ce que... ?

Comment est-ce que... ?

Combien de temps est-ce que... ?

Est-ce que... ?

Commencez ainsi :

Bonjour, monsieur/madame. Je fais une enquête sur les moyens de transport. Est-ce que je peux vous poser quelques questions ?

Questionnaire d'enquête
Moyens de transport

1. Lieu d'habitation :
ville : _____   pays : _____

2. Lieu de travail :
entreprise / organisation : _____
ville : _____

3. Moyen de transport (domicile-travail) :
☐ métro   ☐ bus
☐ train   ☐ voiture
☐ autres : _____
• Durée du trajet : _____

4. Voyages professionnels :
☐ oui   ☐ non
• Moyen de transport :
☐ train   ☐ voiture
☐ avion   ☐ autres : _____

5. Voyages extra-professionnels :
☐ oui   ☐ non
• Moyen de transport :
☐ train   ☐ voiture
☐ avion   ☐ autres : _____

Dossier 4 *(page 17)*

Vous organisez une réunion. Voici des informations sur les participants.

Posez des questions à la personne B pour complétez les informations manquantes.

Utilisez la boîte à outils.

Nom	Prénom	Entreprise	Téléphone	Email
M. Dulac	Baptiste	Rondeau	01 12 90 11 83	bdulac@rondeau.org
M. Jacques	....	Boisson	04 21 73 63 45	l.jacques@boisson.com
Mme Linux	Danielle	JPG	....	danielle.linux@jpg.fr
M. Bon	Florian	....	01 39 88 88 31	....

Boîte à outils

Quel est le nom /
le prénom de monsieur / madame... ?
M./Mme ... travaille dans quelle entreprise ?
Quel est le numéro de téléphone /
le mail de... ?
Comment ça s'écrit ? /
Vous pouvez épeler, s'il vous plaît ?
Vous pouvez répéter, s'il vous plaît ?

Dossier 6 *(page 64)*

La personne B est à Paris. Elle va à Amsterdam. Voici son billet de train. Il y a des mentions manquantes. Posez des questions à B et complétez les mentions manquantes.
Utilisez les expressions suivantes :

À quelle heure est-ce que... ? En quelle classe est-ce que...? Quel est le numéro du / de la... ? Quel est le prix du... ?

Dossier 5 *(page 107)*

a. Racontez à B l'histoire de Bernard Lévêque. Parlez au passé. Utilisez les notes suivantes.

Bernard Lévêque, ingénieur, 27 ans, ONG, Maroc, s'occupe de logistique, jeudi soir, 6 heures, seul au bureau, fatigué, a beaucoup de travail, ordinateur tombe en panne, furieux, pique une colère se lève, ouvre la fenêtre, prend l'ordinateur, le jette par la fenêtre, a de la chance, personne sous la fenêtre

b. B va vous raconter l'histoire de Karyn. Écoutez. Si vous voulez des précisions, posez des questions.

🚄 **Billet Train THALYS**

Paris Nord ➡ Amsterdam

Départ : à _____ de Paris Nord   Prix :
Arrivée : à _____ à Amsterdam   _____ €
N° train : _____
Classe : 1ère ☐   2ème ☐
Voiture ___ Place ___

Dossier 7 (page 31)

a. Regardez cet extrait de catalogue.
Vous trouvez la référence et le prix des articles.

Il manque des informations.
Demandez à B les informations manquantes.
Quel est le prix du... ?
Quelles sont les références du... ?

Canoë Réf. : _____ Prix : 349 €	**Fauteuil en cuir** Réf. : _____ Prix : 1 095 €
Four à micro-ondes Réf. : XJL 553 Prix : _____ €	**Siège de bureau** Réf. : IEG 1761 Prix : _____ €

b. Répondez aux questions de B.
c. Vérifiez vos réponses avec B.

Dossier 8 (page 9)

a. La personne A dicte dix chiffres. Écoutez. Notez les chiffres.

b. Dictez à A les dix chiffres suivants.

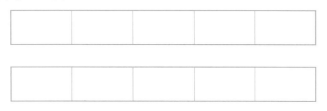

19	0	6	14	2

17	6	16	19	18

c. Vérifiez vos réponses avec A.

Dossier 9 (page 61)

Regardez la carte du Portugal. Elle indique les différents établissements de Marino au Portugal.

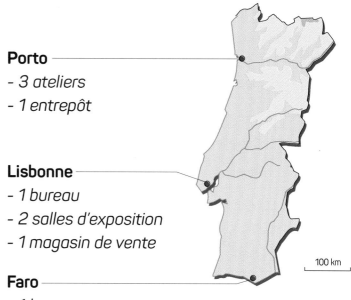

Porto
- *3 ateliers*
- *1 entrepôt*

Lisbonne
- *1 bureau*
- *2 salles d'exposition*
- *1 magasin de vente*

100 km

Faro
- *1 bureau*
- *1 salle d'exposition*

Expliquez à la personne B où ces établissements se trouvent.

Marino a trois ateliers à Porto, au nord du Portugal.

Dossier 10 (page 13)

a. Écoutez A. Écrivez les groupes de trois lettres que vous entendez.

b. Lisez à A ces groupes de trois lettres.

mbq	ghe	fjé	huc	wnn	iàn
hçe	kjf	kwt	dww	rce	zgg

Dossier 11 *(page 17)*

Vous organisez une réunion. Voici des informations sur les participants.

Posez des questions à la personne A pour compléter les informations manquantes.

Nom	Prénom	Entreprise	Téléphone	Email
M. Dulac	....	Rondeau	01 12 90 11 83	bdulac@rondeau.org
M. Jacques	Luc	Boisson	....	l.jacques@boisson.com
Mme Linux	Danielle	....	06 16 51 52 19	....
M. Bon	Florian	Sony	01 39 88 88 31	f.bon@sony.fr

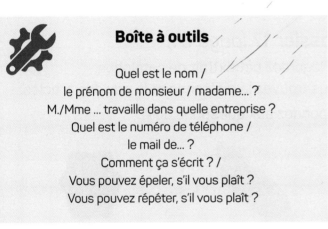

Boîte à outils

Quel est le nom /
le prénom de monsieur / madame... ?
M./Mme ... travaille dans quelle entreprise ?
Quel est le numéro de téléphone /
le mail de... ?
Comment ça s'écrit ? /
Vous pouvez épeler, s'il vous plaît ?
Vous pouvez répéter, s'il vous plaît ?

Dossier 12 *(page 107)*

a. La personne A vous raconte l'histoire de Bernard Lévêque. Écoutez. Si vous voulez des précisions, posez des questions.

b. Maintenant racontez à A l'histoire de Save. Karyn.com. Parlez au passé. Utilisez les notes suivantes.

Karyn, jeune Américaine, beaux vêtements, dépense beaucoup d'argent, carte de crédit, beaucoup de dettes, 20 000 dollars, ne peut pas rembourser, idée simple : doit convaincre 20 000 personnes de lui envoyer un dollar, crée un site Internet, succès rapide, milliers d'internautes, après trois mois peut rembourser ses dettes, raconte cette histoire, vend des milliers de livres

Dossier 13 *(page 88)*

Les messages suivants sont extraits de différents mails écrits par Fanny. Lisez-les et répondez aux questions de A. Donnez des détails.

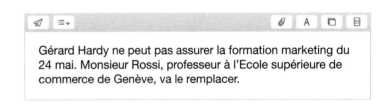

Gérard Hardy ne peut pas assurer la formation marketing du 24 mai. Monsieur Rossi, professeur à l'Ecole supérieure de commerce de Genève, va le remplacer.

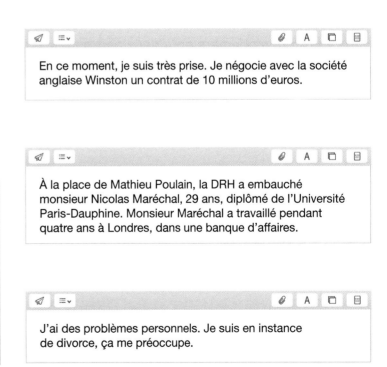

En ce moment, je suis très prise. Je négocie avec la société anglaise Winston un contrat de 10 millions d'euros.

À la place de Mathieu Poulain, la DRH a embauché monsieur Nicolas Maréchal, 29 ans, diplômé de l'Université Paris-Dauphine. Monsieur Maréchal a travaillé pendant quatre ans à Londres, dans une banque d'affaires.

J'ai des problèmes personnels. Je suis en instance de divorce, ça me préoccupe.

Dossier 14 *(page 59)*

La personne A cherche la poste. A l'aide du plan, expliquez-lui le chemin. Utilisez les mots suivants :
vous allez... vous prenez... vous traversez... vous continuez... tout droit... au bout de...

Dossier 15 *(page 57)*

Vous voulez une chambre pour deux personnes.
Avec un grand lit.
Pour demain. Pour une nuit.

Commencez ainsi :
Bonjour, je vous appelle pour une réservation.

Dossier 16 *(page 64)*

Vous êtes à Paris. Vous allez à Amsterdam. Consultez votre billet de train et répondez aux questions de la personne A.

🚄 **Billet Train THALYS**

Paris Nord ➡ Amsterdam

Départ : à 10h18 de Paris Nord
Arrivée : à 14h17 à Amsterdam
N° train : Thalys 1532
Classe : 1ère ☐   2ème ☒
Voiture 11 Place 25

Prix :
96,60€

Dossier 17 *(page 31)*

a. Regardez cet extrait de catalogue.
Vous trouvez la référence et le prix des articles.

Répondez aux questions de A.

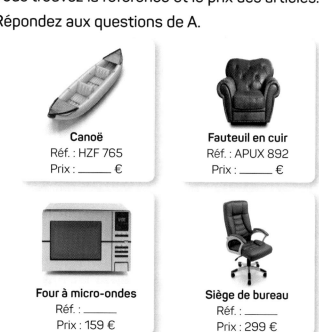

Canoë
Réf. : HZF 765
Prix : _____ €

Fauteuil en cuir
Réf. : APUX 892
Prix : _____ €

Four à micro-ondes
Réf. : _____
Prix : 159 €

Siège de bureau
Réf. : _____
Prix : 299 €

b. Il manque des informations. Demandez à A les informations manquantes et complétez.

Quel est le prix du... ?
Quielles sont les références du... ?

1. Le nom

1. Le genre : masculin et féminin

A. Pour les personnes

• En général, le genre correspond au sexe.

	Masculin	Féminin
Nom différent	un homme	une femme
Même nom	un stagiaire	une stagiaire

• Parfois la terminaison du mot change.

	Masculin	Féminin
– / -e	un client	une cliente
-eur / -euse	un serveur	une serveuse
-eur / -rice	un directeur	une directrice
-er / -ère	un boulanger	une boulangère
-ien / -ienne	un musicien	une musicienne

B. Pour les objets ou les notions

• Le genre est arbitraire.

un fauteuil, une chaise, le Soleil, la Lune

• Parfois, on peut connaître le genre du nom en regardant sa terminaison (son suffixe). Par exemple, sont :

– **féminins** les noms terminés par **-sion, -tion, -xion** :

une télévision, une réservation, une connexion

– **masculins** les noms terminés par **-isme** :

le capitalisme, le tourisme

2. Le nombre: singulier et pluriel

• En général, on ajoute un « s » au singulier.

un livre → des livres

⚠ Le -s final ne s'entend pas.

• Cas particuliers

	Singulier	Pluriel
-eau → -eaux	un bureau	des bureaux
-eu → -eux	un jeu	des jeux
-al → -aux	un journal	des journaux
noms terminés par -s, -x, -z→ pas de changement	un Français un prix un nez	des Français des prix des nez

⚠ Attention : il y a des exceptions.

Exercices

A. Masculin (M) ou féminin (F) ?

	M	F
1. un hôtel	☑	☐
2. une maison	☐	☐
3. une baguette	☐	☐
4. un stylo	☐	☐
5. une pomme	☐	☐
6. un pantalon	☐	☐

B. Mettez un ou une.

1. *un* voleur

2. _____ chanteuse

3. _____ étranger

4. _____ monsieur

5. _____ présentation

6. _____ comédien

7. _____ auditeur

8. _____ caissière

9. _____ connexion

10. _____ séisme

11. _____ actrice

12. _____ problème

C. Éliminez l'intrus.

1. vendeur – ~~professeurs~~ – facteur

2. villes – collège – théâtre

3. ciseaux – cadeau – tableau

4. lieu – cheveux – feu

5. cheval – journal – hôpitaux

6. cinéma – sport – problèmes

D. Mettez au pluriel

1. une phrase   *des phrases*

2. un manteau   _____

3. un animal   _____

4. un bras   _____

5. un choix   _____

6. une surprise   _____

7. un lieu   _____

8. un bus   _____

E. Complétez le tableau.

Masculin	Féminin
1. un expert	*une experte*
2. _____	une vendeuse
3. _____	une cuisinière
4. _____	une photographe
5. un employé	_____
6. un chirurgien	_____

2. Les déterminants

1. Les articles

	Masculin	Féminin	Pluriel
Articles définis	le, l'*	la, l'*	les
Articles indéfinis	un	une	des
Articles partitifs	du	de la	des
à + article défini →	au		aux
de + article défini →	du		des

* Devant une voyelle ou un *h* muet : *l'adresse, l'hôtel.*

A. L'article défini

Il désigne une chose ou une personne uniques et connues.
> *C'est l'entreprise où Léo travaille.* (bien défini)

⚠ Si on parle de la notion ou de la matière en général ,
on emploie l'article défini.
> *J'étudie les maths. J'aime le poisson.*

B. L'article indéfini

Il désigne une chose ou une personne pas encore connues.
> *C'est une entreprise.* (une parmi d'autres)

C. L'article partitif

Il désigne une partie de..., une certaine quantité de...
> *Achète du pain, de la confiture, de l'huile, des fruits.*

2 . L'adjectif démonstratif

	Masculin	Féminin
Singulier	ce, cet*	cette
Pluriel	ces	

* Devant une voyelle ou un *h* muet : *cet aéroport, cet homme*

> *Je voudrais essayer ce pantalon et cette veste.*

3. L'adjectif possessif

Il s'accorde avec le nom et change avec le possesseur.

Possesseur	Masculin	Féminin	Pluriel
Je	mon	ma, mon*	mes
Tu	ton	ta, ton*	tes
Il/Elle	son	sa, son*	ses
Nous	notre		nos
Vous	votre		vos
Ils/Elles	leur		leurs

* Devant une voyelle ou un *h* muet : *ton amie, son hôtel*

> *Paul aime sa femme, son travail, ses collègues.*

Exercices

A. Faites comme dans l'exemple.

1. le bleu/le ciel *le bleu du ciel*
2. la robe/la mariée _____
3. le chef/le service _____
4. la date/les vacances _____
5. le parking/l'aéroport _____
6. le stylo/Jacques _____

B. Mettez *le, la, un, une, des*.

1. Voilà Luc Dumas, *un* journaliste.
2. C'est _____ ami.
3. Il travaille pour _____ journal français.
4. C'est _____ journal Le Monde.
5. Luc aime _____ littérature.
6. Il écrit _____ romans.
7. C'est _____ bon jounaliste.
8. Et aussi _____ bon écrivain.

C. Complétez avec *ce, cet, cette, ces*.

1. _____ montre ne marche pas.
2. _____ restaurant est fermé.
3. _____ horaires sont impératifs.
4. _____ appartement est grand.
5. _____ orange est délicieuse.
6. _____ hôtel est complet.

D. Mettez des adjectifs possessifs.

1. – Tu connais Paul ?
   – Non, mais je connais *ses* parents.
2. – Où est-ce qu'ils habitent ?
   – _____ maison est devant la gare.
3. – Le père de Paul, qu'est-ce qu'il fait ?
   – _____ père ? Il est ingénieur.
4. – Regarde, c'est Lise, la femme de Paul.
   – Ah bon ! C'est _____ femme !
5. – Paul et Lise ne sont pas là ?
   – Non, ils sont chez _____ amis, à Strasbourg.
6. – Qu'est-ce que vous faites cet été ?
   – Nous, on va à la mer avec _____ enfants.
7. – Dis, c'est _____ stylo ?
   – Oui, c'est à moi.
8. – Vous travaillez seuls sur ce projet ?
   – Non, on est avec _____ collègue Marie.

3. L'adjectif qualificatif

1. Le féminin de l'adjectif

A. Règle générale

Pour former le féminin de l'adjectif, on ajoute un « - « **-e** » au masculin.

Il est petit. → *Elle est petite.*

⚠ L'adjectif qui se termine par « -e » au masculin ne change pas au féminin.

Un endroit calme. → *Une ville calme*

B. Exceptions

Au féminin, certains adjectifs changent d'orthographe et de prononciation. Voici quelques cas :

MASCULIN	FÉMININ
anc**ien**	anc**ienne**
épai**s**	épai**sse**
fau**x**	fau**sse**
b**on**	b**onne**
neu**f**	n**euve**
spac**ieux**	spac**ieuse**
étrang**er**	étrang**ère**

2. Le pluriel de l'adjectif

A. Règle générale

Pour former le pluriel de l'adjectif, on ajoute un « s » au singulier.

une boîte vide → *des boîtes vide**s***

⚠ L'adjectif qui se termine par « s » ou « x » au singulier ne change pas au pluriel.

*un sport dangereu**x*** → *des sports dangereu**x***

B. Exceptions

Les adjectifs qui se terminent par « **eau** » ou par « **al** » au singulier ont un pluriel en « **eaux** » ou en « **aux** ».

*Il est nouv**eau**.* → *Ils sont nouv**eaux**.*
*Il est origin**al**.* → *Ils sont origin**aux**.*

3. Place de l'adjectif

A. Règle générale

En général, l'adjectif se place **après** le nom.

*C'est un restaurant **bruyant**.*

B. Cas particuliers

• Quelques adjectifs se placent **avant** le nom.
Par exemple : *beau, bon, demi, dernier, grand, gros, joli, mauvais, meilleur, nouveau, petit.*

*Il a trouvé un **nouveau** travail.*

• Certains adjectifs changent de sens suivant la place.

*Un **pauvre** homme* (il fait pitié).
*Un homme **pauvre*** (il n'est pas riche).

Exercices

A. Choisissez la bonne réponse.

1. J'ai un collègue :
mexicain ☐   mexicaine ☐

2. Pierre est :
canadien ☐   canadienne ☐

4. Monsieur Laska est de nationalité :
hongrois ☐   hongroise ☐

5. Il a une voiture :
japonais ☐   japonaise ☐

B. Dans cette liste soulignez les adjectifs qui ne changent pas au féminin.

exact, content, *rouge*, fier, étrange, fin, fréquent, gras, malade, précis, marié, célibataire, idiot, bête, interdit, long, court, vrai, faux, facile, inquiet, amoureux, agressif, simple, blond, sale, propre, lourd, léger, marrant, agréable

Un sport dangereux : le parapente.

C. Mettez au pluriel.

1. un hôtel cher → *des hôtels chers*
2. un aéroport international → des _____
3. une idée originale → des _____
4. un mur épais → des _____
5. une voiture neuve → des _____
6. un produit coûteux → des _____
7. un examen oral → des _____
8. un beau voyage → des _____
9. une mauvaise idée → des _____
10. un petit hôtel cher → des _____

4. L'expression de la quantité

1. Les nombres cardinaux

0 zéro	**22** vingt-deux
1 un	**23** vingt-trois
2 deux	**30** trente
3 trois	**40** quarante
4 quatre	**50** cinquante
5 cinq	**60** soixante
6 six	**70** soixante-dix
7 sept	**71** soixante et onze
8 huit	**72** soixante douze
9 neuf	**80** quatre-vingts
10 dix	**81** quatre-vingt-un
11 onze	**90** quatre-vingt-dix
12 douze	**91** quatre-vingt-onze
13 treize	**100** cent
14 quatorze	**101** cent un
15 quinze	**200** deux cents
16 seize	**1 000** mille
17 dix-sept	**10 000** dix mille
18 dix-huit	**1 000 000** un million
19 dix-neuf	**10 000 000** dix millions
20 vingt	**1 000 000 000** un milliard
21 vingt et un	**10 000 000 000** dix milliards

2. Les nombres ordinaux

Ils se forment en ajoutant « **-ième** » au nombre correspondant.

deux → deux**ième**

trois → trois**ième**

mais

un → **premier**

vingt et un → vingt et un**ième**

trente et un → trente et un**ième**, etc.

3. Fractions et pourcentages

1/2 : un demi

1/3 : un tiers

1/4 : un quart

1/5 : un cinqu**ième**

1/1000 : un mill**ième**

3 % : trois pour cent

*Cette année, notre chiffre d'affaire a augmenté de **15 %**.*

4. Expressions suivies de « de + nom »

« **une dizaine de...** », « **une centaine de...** », « **un millier de...** », « **un million de...** », « **un milliard de...** »

*Elle a **une vingtaine d'**années* (= environ 20 ans).

128

Exercices

A. Dites combien ça coûte.

Smartphones

1. PIX 600 .... 180,20 €

2. VTECH X19 .... 299,00 €

3. ZENPHONE XS 710 .... 440,90 €

4. VTK 355 .... 99,95 €

5. ONEPLUS 2000 .... 356,50 €

1. *Le PIX 600 coûte cent quatre-vingts euros vingt.*

B. Écrivez en lettres.

- 14 200   *quatorze mille deux cents*

- 16 775   _____

- 122 513   _____

- 3 418 099   _____

- 1 710 000 000 _____

- 125ème _____

- ¾   _____

- 75 %   _____

C. Complétez librement. Écrivez les chiffres en lettres.

1. Strasbourg est une ville d'environ _____. habitants, située en Alsace, à l'est de la France.

2. Alice habite dans le quartier historique de la ville, dans un immeuble de _____ étages.

3. Elle habite au _____ étage, dans un appartement de _____ pièces.

4. Elle paie un loyer mensuel de _____ euros. Elle consacre environ _____ de son budget à ce loyer.

5. Expressions de quantité suivies de « de + nom »

- **un litre de, un kilo de, une boîte de, une tranche de**, etc.
    un verre d'eau, une assiette de frites, etc.

- **un peu de, beaucoup de**
    *Ils ont **beaucoup de** problèmes.*

- **assez de, trop de**
    *Elle est paresseuse, elle ne fait pas **assez d'**efforts.*

⚠ NE DITES PAS « beaucoup ~~des~~ », « assez ~~des~~ », etc.
DITES « beaucoup **de** », « assez **de** », etc.

6. Les adjectifs indéfinis
Ils sont suivis d'un nom.

- **quelques, plusieurs, différent(e)s, certain(e)s** s'utilisent au pluriel.
    *Il reste **quelques** places pour le concert.*
    *Paul parle **plusieurs** langues.*
    *J'ai visité **différents** pays.*
    *J'accepte, mais à **certaines** conditions.*

- **chaque** s'utilise au singulier.
    *Dans l'avion, **chaque** passager a sa place numérotée.*

- **tout, tous, toute, toutes + déterminant** s'accordent avec le nom qui suit.
    *Elle travaille **tout le** temps.*
    *Merci pour **toutes ces** informations.*

7. Les pronoms indéfinis
Ils remplacent un nom.

- **certain(e)s, d'autres**
    ***Certains** sont riches, **d'autres** sont pauvres.*

- **chacun, chacune**
    *Il y a quatre médecins, **chacun** a sa spécialité.*

- **tous, toutes**
    – Est-ce que tous les employés assistent à la réunion?
    *– Oui, ils viennent **tous**.*
Quand « tous » est pronom, on prononce le « s » final.

- **tout** = toutes les choses
    ***Tout** est prêt.*

8. Le pronom « en »

- **« en »** remplace un nom indiquant une quantité indéterminée.
    – Elle boit du vin?
    *– Oui, elle **en** boit.*

- Si la quantité est précisée, elle est ajoutée à la fin.
    – Elle a des enfants ?
    *– Oui, elle **en** a.*
    *– Elle **en** a **combien** ?*
    *– Elle **en** a **deux**.*

A. Reliez A et B.

A		B
1. Une boîte de	*c*	**a.** fleurs
2. Une tasse de	___	**b.** sel
3. Une douzaine d'	___	**c.** chocolats
4. Une bouteille d'	___	**d.** jambon
5. Une tranche de	___	**e.** oeufs
6. Un flacon de	___	**f.** café
7. Un bouquet de	___	**g.** parfum
8. Un morceau de	___	**h.** huile
9. Une pincée de	___	**i.** gâteau

Il y a beaucoup de monde.

B. Complétez avec *tout, toute, tous, toutes.*

1. Le sauna est ouvert _____ les jours.

2. _____ nos chambres donnent sur le jardin.

3. _____ l'information se trouve sur notre site.

4. Nous sommes complets _____ l'été.

C. L'entreprise Duez fabrique du matériel électrique. Répondez aux questions sur cette entreprise en utilisant « il y a » et le pronom « en ».

1. Est-ce qu'il y a des ingénieurs ?
– 6 : *Il y en a six.*

2. Des ouvriers ?
– Une centaine : _____

3. Des femmes ?
– 30 % : _____

4. Un parking ?
– 0 : _____

5. Des problèmes ?
– Beaucoup : _____

6. Des grèves ?
– Une en 2021 : _____

5. Les verbes : modes et temps

1. Le mode indicatif

A. Le présent

Il exprime :

– une action en cours de réalisation:

> – *Qu'est-ce que tu **fais** ?*
>
> – *Je **travaille**.*

On peut aussi utiliser le présent progressif :

être en train de + infinitif

> *Je **suis en train de travailler**.*

– une habitude :

> *Tous les étés, je **prends** des vacances.*

– une vérité générale :

> *Paris **est** la capitale de la France.*

– une action future :

> *Je **pars** demain.*

B. Le passé

• Le passé récent : *venir de* + infinitif

L'action est finie depuis peu de temps.

> *Elle **vient de partir**.*

• Le passé composé : *avoir ou être* + participe passé

Avec le passé composé, on considère l'action passée comme un ÉVÉNEMENT.

> – *Qu'est-ce que tu **as fait** hier ?*
>
> – *J'**ai voyagé**.*
>
> – *Où est-ce que tu **es allé** ?*
>
> – *Je **suis allé** à Bruxelles.*
>
> *Quand le président **est entré**, tout le monde **s'est levé**.*
>
> *Cette année, j'**ai pris** mes vacances en septembre.*

• L'imparfait

Avec l'imparfait, on considère l'action passée comme une SITUATION.

> *Avant, il n'y **avait** pas de chômage.*
>
> *Tous les étés, je **prenais** des vacances en août.*

⚠ Avec l'imparfait, le récit est statique. Le passé composé crée une rupture.

> *Elle **dormait** quand le téléphone **a sonné**.*
>
> *Dans cette entreprise, l'ambiance **était** détestable. Mais un beau jour, monsieur Lebec **est arrivé** et tout **a changé**.*

C. Le futur

• Le futur simple

Il exprime une action à venir, précise.

> *Le train **partira** à 9h35, de la voie 12.*

• Le futur proche : *aller* + infinitif

Il est employé à l'oral.

> *Le train **va partir**.*

A. Transformez les phrases en utilisant *être en train de*.

1. Trop tard, le train part.

Trop tard, le train est en train de partir.

2. Réveillez-vous, vous dormez.

_____

3. Attends une seconde, je réfléchis.

_____

4. Arrête, tu dis des bêtises.

_____

5. À mon avis, ils se trompent.

_____

6. Pauline et moi, nous divorçons.

_____

B. Choisissez la phrase la plus logique.

1. ☐ **a.** Tu as vu le directeur hier ?
☐ **b.** Tu voyais le directeur hier ?

2. ☐ **a.** Qui a découvert l'électricité ?
☐ **b.** Qui découvrait l'électricité ?

3. ☐ **a.** Avant, quand il a été dans les affaires, il a gagné beaucoup d'argent.
☐ **b.** Avant, quand il était dans les affaires, il gagnait beaucoup d'argent.

4. ☐ **a.** Quand j'ai habité à Paris, j'ai pris le métro tous les jours.
☐ **b.** Quand j'habitais à Paris, je prenais le métro tous les jours.

5. ☐ **a.** On a fait un voyage, on est allé en Inde.
☐ **b.** On faisait un voyage, on allait en Inde.

6. ☐ **a.** Tu sais quoi ? Léa n'est pas venue hier.
☐ **b.** Tu sais quoi ? Léa ne venait pas hier.

7. ☐ **a.** Les pompiers arrivaient et ont éteint l'incendie.
☐ **b.** Les pompiers sont arrivés et ont éteint l'incendie.

C. Complétez avec les verbes suivants au futur proche (aller + infinitif) : *aller, résoudre, faire, pleuvoir, se marier*

1. Prends un parapluie, il va *pleuvoir*.

2. Nous _____ ce problème.

3. Qu'est-ce que tu _____?

4. Je _____ chez le coiffeur.

5. Paul et Sarah _____ .

2. Le mode infinitif

Avec l'infinitif, on peut classer les verbes en trois groupes.

- **Verbes du premier groupe :** ils se terminent par **-er**.
  parler, manger, habiter...
- Ils sont presque tous réguliers.
- **Verbes du deuxième groupe :** ils se terminent par **-ir**.
  finir, choisir, rougir...

Ils ont une forme en *-iss* à certaines personnes et à certains temps.
  nous finissons, vous finissez, ils finissent...

Ils sont réguliers.

- **Verbes du troisième groupe :** ils se terminent par :

-ir
  venir, partir, offrir...

-oir
  savoir, voir, pouvoir...

-re
  faire, vendre, boire...

Ils sont souvent irréguliers :
  je viens, je sais, je fais...

3. Le mode impératif

- **Pour donner un conseil ou un ordre.**
  Rappelez plus tard! ***Venez*** demain !
  Restez tranquille ! ***Taisez-vous*** ! Ne ***bougez*** pas !

- **L'impératif est un présent sans sujet.**

On l'utilise seulement pour *tu, nous, vous.*
  Tu écoutes → ***Écoute !***
  Nous écoutons → ***Écoutons !***
  Vous écoutez → ***Écoutez !***

⚠ Le « s » disparaît avec les verbes du premier groupe (*-er*) et avec le verbe « aller ».
  Tu regardes → *Regard**e** !*
  Tu vas moins vites → ***Va*** moins vite !*

4. Le mode conditionnel

- **Pour demander poliment :**
  Je ***voudrais*** un renseignement, s'il vous plaît.

- **Pour donner un conseil :**
  Vous ***devriez*** apprendre le français.

- **Pour exprimer un désir :**
  Il ***aimerait*** changer de travail.

Pour former le conditionnel, on utilise le radical du futur + les terminaisons de l'imparfait :
  je voudr-ais, vous devr-iez, il aimer-ait

A. Donnez l'infinitif des verbes.

1. Je *m'appelle* Mayumi.	*s'appeler*
2. J'*ai* 23 ans.	_____
3. Je *suis* japonaise.	_____
4. Je *connais* bien Tokyo.	_____
5. Maintenant, j'*habite* à Paris.	_____
6. Je *fais* des études.	_____
7. J'*apprends* le français.	_____

B. Présentez Mayumi.

1. *Elle s'appelle Mayumi.*
2. *Elle...*

C. Complétez avec *être* ou *avoir*.

1. C'***est*** une petite ville de province.
2. Tu _____ une montre ?
3. Elle _____ trente-deux ans.
4. J' _____ soif, pas vous ?
5. Ce _____ des gens bizarres.
6. Vous _____ un bon travail.
7. Tu _____ où ?

D. Transformez. Utilisez l'impératif.

1. vous / tourner à gauche
   Tournez à gauche.
2. vous / suivre cette direction
3. tu / aller sur le trottoir de gauche
4. tu / ne pas traverser le pont
5. nous / prendre l'ascenseur
6. tu / ne pas oublier le plan
7. vous / faire attention aux voitures
8. tu / regarder dans le rétroviseur
9. tu / mettre le clignotant

6. L'interrogation

1. Il y a trois manières de poser une question
- Avec une intonation montante (style familier)

  Vous travaillez ici ?
- Avec est-ce que (style courant)

  Est-ce que *vous travaillez ici ?*
- Avec l'inversion du verbe et du pronom (style soutenu)

  Travaillez-vous *ici ?*

2. Pour interroger sur une personne : *qui*
- Courant

  C'est ***qui*** *?*

  Qui *est-ce qui vient à la réunion ?*

  Qui *est-ce que vous avez invité ?*
- Soutenu

  Qui *est-ce ?* ***Qui*** *vient à la réunion ?*

  Qui *avez-vous invité ?*

3. Pour interroger sur un objet : *quoi, qu(e)*
- Courant

  Il fait ***quoi*** *?*

  Qu'est-ce *qu'il fait ?*
- Soutenu

  Que *fait-il ?*

⚠ ***qui*** et ***quoi*** peuvent être précédés d'une préposition.

  Avec qui *est-ce que vous travaillez ?*

  À quoi *est-ce que tu penses ?*

4. Pour interroger avec *quel, quelle*
- Courant

  Vous parlez ***quelles*** *langues ?*

  Quelles *langues est-ce que vous parlez ?*
- Soutenu

  Quelles *langues parlez-vous ?*

⚠ ***quel*** peut être précédé d'une préposition.

  Vous habitez ***dans quel*** *pays ?*

5. Pour interroger sur des circonstances : *où, quand, pourquoi, comment, combien*
- Familier

  Tu gagnes ***combien*** *?*
- Courant

  Combien est-ce que *tu gagnes ?*
- Soutenu

  Combien *gagnes-tu ?*

Exercices

A. À quelles questions pouvez-vous répondre par *oui* ou par *non* ?
1. Qu'est-ce que vous voulez dire ? ❑
2. Est-ce que vous connaissez Paris ? ❑
3. Vous êtes d'accord ? ❑
4. Avec qui est-ce qu'il travaille ? ❑
5. Êtes-vous satisfaites ? ❑
6. Tu viens ? ❑
7. La réunion est à quelle heure ? ❑
8. À qui est cette écharpe ? ❑

B. Posez la question avec *est-ce que*. Imaginez la réponse.
1. Léo s'en va. Quand ?

   – Quand est-ce que Léo s'en va ?

   – Il s'en va après-demain.
2. Estelle travaille. Où ?
3. Jim va à l'hôtel. Dans quel hôtel ?
4. Ça marche. Comment ?
5. Marc se repose. Pourquoi ?
6. Roger réfléchit. À quoi ?
7. Estelle téléphone. À qui ?
8. Catherine mange. Quoi ?

C. Posez la question avec *est-ce que*.
1. Elle vient <u>en train</u>.

   Comment est-ce qu'elle vient ?
2. Elle arrive <u>demain</u>.
3. Elle arrive <u>à 9 heures</u>.
4. Ils habitent <u>à la campagne</u>.
5. Il s'habille <u>en jean et en tee-shirt</u>.
6. Elle prépare le café <u>pour ses collègues</u>.
7. Ils boivent <u>un café</u>.
8. Ça coûte <u>29 euros</u>.

D. Complétez avec *qui, que, qu'* ou *quoi*.
1. _____ est-ce qui se passe ?
2. On mange _____ ce soir ?
3. _____ est-ce que tu as invité ?
4. _____ dites-vous ?
5. À _____ est cette voiture ?
6. _____ est-ce qu'ils vendent ?
7. Avec _____ est-ce qu'il habite ?
8. _____ est-ce que vous voulez faire ?

7. La négation

1. ne ... pas

– *Vous travaillez ?*
– *Non, je **ne** travaille **pas**.*
– *Vous habitez ici ?*
– *Non, je **n'**habite **pas** ici.*

2. ne ... pas de

- **un, une, des**

à la forme négative : **pas de**

– *Tu as un fax ?*
– *Non, je **n'**ai **pas de** fax.*

- **du, de la, de l', des**

à la forme négative : **pas de**

– *Tu veux du thé ?*
– *Non, je **ne** bois **pas** de thé.*

3. ne ... rien, ne ... personne

- *Rien* est la négation de *quelque chose*.

– *Tu vois **quelque chose** ?*
– *Non, je **ne** vois **rien**.*

- *Personne* est la négation de *quelqu'un*.

– *Tu vois **quelqu'un** ?*
– *Non, je **ne** vois **personne**.*

4. ne ... plus, ne ... pas encore

- *ne ... plus* est la négation de *encore*.

– *Il dort **encore** ?*
– *Non, il **ne** dort **plus**.*

- *ne ... pas encore* est la négation de *déjà*.

– *Il dort **déjà** ? – Non, il **ne** dort **pas encore**.*

5. ne ... jamais

*Je **ne** prends **jamais** l'avion. (présent)*

6. ne ... que

ne ... que est une restriction. (= seulement)
*Ça **ne** coûte **que** 5 €. = Ça coûte seulement 5 €.*

7. La place de la négation

Remarquez la place de la négation dans les phrases suivantes :

*Je **n'**ai **pas** vu Léo. Il **n'**est **pas** venu.*
*Je **n'**ai **rien** vu. Je **n'**ai vu **personne**.*
*Elle **n'**a **jamais** pris l'avion.*
*Il **n'**a **pas encore** décidé.*
*Merci de **ne pas** fumer. **Ne** fume **pas** !*
***Ne** bougez **plus** !*

Exercices

A. Mettez à la forme négative.

1. Je connais Paris
Je ne connais pas Paris.
2. Je suis française.
3. Il est architecte.
4. Elle travaille chez Renault.
5. Vous parlez français ?
6. Ils habitent à Genève.
7. Elle voyage à l'étranger.
8. Ça va ?

B. Enlevez la négation.

1. Tu n'as pas les clés ?
Tu as les clés ?
2. Ils n'ont pas d'idées.
3. Vous n'avez pas de passeport ?
4. Je n'ai pas le choix.
5. Elle n'a pas la nationalité belge.
6. Elle n'a pas de lunettes.
7. Je n'ai pas de nouvelles.
8. Il ne met pas de cravate.

C. Mettez à la forme négative.

1. Hier, il a plu.
Hier, il n'a pas plu.
2. Elle est venue avec nous.
3. On a pris des photos.
4. Tu as lu le journal ?
5. Il a acheté une maison.
5. J'ai eu de la chance.
6. Ils ont passé de bonnes vacances.
7. Ils sont passés par Paris.
8. À midi, j'ai mangé du poisson.

D. Répondez en utilisant personne ou rien.

1. Est-ce que tu sais quelque chose ?
– Non, je ne sais rien.
2. Bonjour, vous attendez quelqu'un?
3. Tu prends quelque chose ? Un café ?
4. Qui est-ce que vous connaissez ici ?
5. Qu'est-ce qu'il a dit ?
6. Qui est-ce que tu as invité ce soir ?
7. Quelqu'un a appelé ?
8. Qu'est-ce que tu as décidé ?

8. La comparaison

1. Les comparatifs

A. La comparaison porte sur un adjectif ou sur un adverbe.

- Supériorité : **plus ... que**

  *Au travail, Luc est **plus** efficace **que** Paul.*

  *Luc travaille **plus** efficacement **que** Paul.*

- Infériorité : **moins ... que**

  *Le cinéma est **moins** cher **que** l'opéra.*

  *Le train va **moins** vite **que** l'avion.*

- Égalité : **aussi ... que**

  *En voiture, Luc est **aussi** prudent **que** Paul.*

  *Luc conduit **aussi** prudemment **que** Paul.*

B. La comparaison porte sur un nom.

- Supériorité : **plus de ... que**

  *Les Chinois mangent **plus** de riz **que** les Français.*

- Infériorité : **moins de ... que**

  *Paul gagne **moins** d'argent **que** Luc.*

- Égalité : **autant de ... que**

  *L'hôtel du Nord a **autant de** chambres*
  *et **autant d'**étoiles **que** l'hôtel du Sud.*

⚠ Dites « autant de ». Ne dites pas « ~~aussi beaucoup de~~ ».

C. La comparaison porte sur un verbe.

- Supériorité : **plus que**

  *Les enfants dorment **plus que** les adultes.*

- Infériorité : **moins que**

  *Luc parle **moins que** Paul.*

- Égalité : **autant que**

  *Luc travaille **autant que** Paul.*

⚠ Dites « autant que ». Ne dites pas « ~~aussi beaucoup que~~ ».

2. Les superlatifs

- Les superlatifs sont formés de **le / la / les** + **moins / plus**.

Le complément du superlatif est précédé de la préposition **de**.

  *En superficie, la Russie est **le plus** grand pays **du** monde.*

  *Bombay est **la plus** grande ville **de** l'Inde.*

⚠ Attention aux comparatifs et aux superlatifs irréguliers :

- bon → **meilleur, le meilleur**. Ne dites pas « ~~plus bon~~ ».
- bien → **mieux, le mieux**. Ne dites pas « ~~plus bien~~ ».

  *Le café est **meilleur** sans sucre.*

  *Sarah est **la meilleure** élève de la classe.*

  *Luc écrit **mieux** que Paul.*

134

A. Faites des phrases avec *plus ... que* (+), *moins...que* (–), *aussi...que* (=).

1. Le pétrole / l'eau: rare (+)

Le pétrole est plus rare que l'eau.

2. Une chaise / un fauteuil : confortable (–)

3. L'or / le cuivre : précieux (+)

4. La soie / le coton: légère (+)

5. L'avion / la fusée : rapide (–)

6. Un croissant / une baguette : cher (=)

B. Présentez les produits suivants avec des superlatifs de supériorité.

1. Le TGV : un train rapide.

Le TGV, c'est le train le plus rapide.

2. Le jeu d'échecs : un jeu intéressant.

3. La Ferrari 250 GT : une voiture chère.

4. Les cerises : des fruits sucrés.

5. L'aspirateur TX : un aspirateur puissant.

6. Les lunettes Mikki : de bonnes lunettes.

C. Complétez avec un comparatif.

1. Les Français boivent ***moins de*** thé ***que*** les Anglais.

2. Les Japonais mangent _____ poisson _____ les Polonais.

3. Les Grecs mangent _____ pâtes _____ les Italiens.

4. Les Vietnamiens mangent _____ riz _____ les Allemands.

5. Les Arabes boivent _____ vin _____ les Français.

D. Complétez avec un comparatif.

En général, les femmes :

1. dorment ***autant que*** les hommes ;

2. fument _____ les hommes ;

3. travaillent _____ les hommes ;

4. gagnent _____ les hommes ;

5. dépensent _____ les hommes.

E. Mettez dans l'ordre.

1. beaucoup / copine / cuisine / mieux / Paul / que / sa

2. de / la / Andrea / parle / le / mieux / français / classe

3. est / le / le / plus / garçon / beau / bureau / Antoine / du

4. deux / Mathilde / de / son / plus / que / a / frère / ans

9. L'expression du lieu

1. Continents, pays, villes

- On utilise **en**, **à**, et **aux** pour indiquer le lieu où on est / où on va.

  Je suis / je vais **à** *Rome* (à + ville)

  en *Russie* (en + pays féminin)

  en *Asie* (en + continent)

  en *Iran* (en + pays masculins commençant par une voyelle)

  au *Pérou* (au + pays masculin)

  aux *Pays-Bas* (aux + pays pluriel)

⚠️ En général, les pays qui se terminent par « e » sont féminins : la France, la Pologne, etc. Exceptions : le Mexique, le Cambodge, le Zaïre, le Zimbabwe, le Mozambique. Les autres sont masculins : le Brésil, le Japon, le Portugal, le Vietnam, etc.

- On utilise **de** ou **du** ou **d'** pour indiquer le lieu d'où on vient.

  Je viens **de** *Bruxelles* (de + ville)

  de *Turquie* (de + pays féminin)

  du *Japon* (du + pays masculin)

  d'*Irlande* (d' devant un voyelle)

2. Intérieur et extérieur, distance et direction

- L'intérieur : **à l'intérieur de, dans, chez**

  dans *une entreprise,* **chez** *IBM*

- L'extérieur : **à l'extérieur de, hors de, dehors, en dehors de**

  Entrez, ne restez pas **dehors** !

- La distance : **loin de, à côté de, près de**

  Il travaille **loin de** *son domicile.*

- La direction: **vers, tout droit, à (votre) droite / gauche, sur votre droite / gauche, au bout de**

  Continuez **tout droit**, **vers** *l'église, prenez la deuxième rue* **à gauche** *et allez jusqu'***au bout de** *cette rue.*

3. Haut et bas, devant et derrière

- Le haut : **sur, en haut de, au-dessus de**

  sur *la table,* **en haut de** *la page,* **au-dessus de** *la mer*

- Le bas : **sous, en bas de, au-dessous de**

- Le devant : **devant, en face de**

- Le derrière : **derrière**

4. Les pronoms « y » et « en »

- **y** indique le lieu où on est, le lieu où on va.

  La France ? Nous **y** *habitons.*

  L'Italie ? Nous **y** *allons souvent.*

- **en** indique le lieu d'où on vient.

  – Vous venez de Paris ?

  *– Oui, j'***en** *viens.*

A. Complétez. Imaginez un nom de pays.

1. J'aime beaucoup le **Canada**.

2. L'année prochaine, il retourne en _____ .

3. Vous partez quand au _____ ?

4. Il prend l'avion pour l' _____ .

5. Vous connaissez la _____ ?

6. Je travaille aux _____ .

B. Complétez avec une préposition.

1. – Tu vas **en** Afrique ?

– Oui, je vais _____ Congo.

2. – Vous arrivez d'où ? _____ Thaïlande ?

– Non, _____ Japon, _____ Tokyo.

3. – Elle part _____ Italie, n'est-ce pas ?

– Non, elle revient _____ Italie, et elle repart _____ Israël, _____ Jérusalem.

C. Répondez librement avec le pronom y.

1. – Quel jour est-ce que tu vas chez Paul ?

– *J'y vais lundi.*

2. – Vous restez à Paris deux ou trois jours ?

– _____

3. – Tu seras chez toi à quelle heure ce soir ?

– _____

4. – Il est au Brésil pour le travail ou pour visiter ?

– _____

5. – Vous allez souvent au cinéma ?

– _____

D. Complétez librement avec y ou en.

1. – Tu vas à la réunion demain ?

– Non, malheureusement, je _____

2. – Ils habitent au Caire depuis longtemps ?

– Ils _____ sept ans.

3. – Vous êtes déjà allés en Corée ?

– On _____ l'année dernière.

4. – Tu reviens du bureau ?

– Absolument, j' _____ à l'instant.

5. – Elle veut rester longtemps en Turquie ?

– Elle _____ au moins un an.

6. – Vous allez souvent à la piscine ?

– _____ .

10. Les indicateurs de temps

1. Situer dans le temps
• La date et la saison

Les jours de la semaine	Les mois de l'année	Les saisons de l'année
lundi *avant-hier* mardi *hier* mercredi **aujourd'hui** jeudi *demain* vendredi *après-demain* samedi dimanche	janvier février mars avril mai juin juillet août septembre octobre novembre décembre	le 20 ou 21 mars : le printemps le 20 ou 21 juin : l'été le 22 ou 23 septembre : l'automne le 21 ou 22 décembre : l'hiver

> *en* 2015
> *en* hiver, *en* été, *en* automne, *au* printemps
> *au mois de* mai, *en* mai.
> *Nous sommes (le)* jeudi 5 mai.

- **à partir de** indique un point de départ.
  > *À partir de demain, je ne fume plus.*

- **jusqu'à** indique un point d'arrivée.
  > *Hier soir, j'ai travaillé jusqu'à minuit.*

- **de ... à ...** indique le point de départ et le point d'arrivée.
  > *Je travaille de 8 heures à midi, du lundi au vendredi.*

- **il y a** indique un moment du passé.
  > *Il est parti il y a trois jours.*

- **dans** indique un moment dans le futur.
  > *Je pars dans deux semaines.*

- **quand** relie deux propositions.
  > *Dis-moi quand tu reviens.*

2. Dire la durée

- **pendant** indique la durée de l'action.
  > *Pendant les vacances, je me suis reposé.*

  ⚠ On peut exprimer une durée chiffrée sans préposition.
  > *J'ai dormi deux heures.*

- **pour** indique une durée prévue.
  > *Vous partez pour combien de temps ?*

- **en** indique la durée nécessaire pour réaliser l'action.
  > *Il a écrit ce livre en cinq mois.*

- **depuis** indique une durée qui continue.
  > *Il travaille chez Peugeot depuis deux ans.*
  > *Elle n'a pas travaillé depuis six mois.*

Exercices

A. Complétez avec *depuis* ou *il y a*.

1. Il travaille chez Fimex _____ dix ans.
2. Je suis allé à Rio _____ deux semaines.
3. J'ai vu Paul _____ deux jours.
4. Je suis en vacances _____ hier.
5. Vous attendez _____ longtemps ?
6. On n'a pas vu Inés _____ le 1er janvier.
7. Il n'est pas venu ici _____ un moment.
8. Je n'ai pas pris de vacances _____ deux ans.

B. Choisissez la bonne réponse.

1. Ils ont visité Paris _____ deux jours.
   ☐ dans   ☐ en
2. Elle a dormi _____ toute la réunion.
   ☐ dans   ☐ pendant
3. Nous allons partir _____ une semaine.
   ☐ dans   ☐ en
4. On reprend le boulot _____ trois jours.
   ☐ dans   ☐ à partir de
5. Personne ne sait _____ il arrive.
   ☐ depuis   ☐ quand
6. Ils vont rester à Paris _____ mars.
   ☐ pour   ☐ jusqu'en
7. J'ai travaillé chez Fimex _____ 2010.
   ☐ quand   ☐ jusqu'en
8. Elle est partie _____ toujours.
   ☐ pour   ☐ à partir de
9. J'ai fait Paris Bruxelles _____ deux heures.
   ☐ dans   ☐ en
10. Il va rester ici _____ demain.
    ☐ jusqu'à   ☐ pour

C. Complétez les phrases en utilisant un indicateur de temps.

1. J'apprends le français _____
2. Je vais prendre des vacances _____
3. J'ai fait les exercices _____
4. Je connais _____
5. Je ne travaille pas _____
6. J'ai rencontré _____
7. J'ai la même montre _____
8. Les magasins sont ouverts _____

11. Les constructions du verbe

1. Les verbes intransitifs

Ils sont employés seuls : ils n'ont pas de complément d'objet.

> *Sarah dort.*
> *Paul déjeune.*

2. Les verbes transitifs directs

Ils sont suivis d'un complément d'objet direct (COD), c'est-à-dire d'un complément qui n'est pas précédé d'une préposition.

- **Le COD peut être un nom ou un pronom.**
  > *Il connaît le directeur.*
  > *Il le connaît.*

- **Le COD peut être un infinitif**
  > *Elle veut partir.*
  > *Vous pouvez sortir.*

- **Le COD peut être une proposition introduite par *que*.**
  > *Je crois que Pierre est en réunion.*
  > *Je pense qu'elle dit la vérité.*

3. Les verbes transitifs indirects

Ils sont suivis d'un complément d'objet indirect (COI), c'est-à-dire d'un complément précédé d'une préposition. Cette préposition est généralement *à* ou *de*.

> *Pierre téléphone à Sarah.*
> *Ils parlent de l'affaire Cerise.*

4. Les verbes pronominaux

Ils se conjuguent avec un pronom dit « réfléchi ».

> *Je me souviens de Pierre.*
> *Tu te lèves à quelle heure le matin ?*
> *Il s'adapte vite.*

⚠ Au passé composé, on utilise l'auxiliaire être.

> *Je me suis couché tard.*
> *Elle s'est fâchée tout de suite.*
> *Ils se sont rencontrés hier soir.*

5. Les verbes impersonnels

Ils ne s'emploient qu'à la troisième personne du singulier. Ils sont impersonnels parce que le sujet il ne désigne rien (aucune personne, aucune chose).

> *Il pleut. Il neige.*
> *Il faut partir.*
> *Il manque une chaise.*
> *Il reste deux exercices à faire.*

A. Complétez le verbe avec un nom.

1. Je regarde *la télévision*   le journal
2. Je lis _____   ***la télévision***
3. J'écoute _____   le français
4. Je collectionne_____   la radio
5. J'étudie _____   les timbres

B. Dans les phrases de l'exercice A, remplacez le nom par un pronom.

1. *Je la regarde.*
2. *Je...*

C. Complétez librement.

1. Le Président a parlé aux ***journalistes***.
2. Je ne comprends pas les _____
3. Il veut inviter tous ses _____
4. Cette montre appartient à sa _____
5. Il ne peut pas supporter son _____
6. La semaine dernière, j'ai rencontré le _____
7. Je téléphone souvent à mes _____

D. Dans les phrases de l'exercice C, remplacez le nom par un pronom.

1. *Le Président **leur** a parlé.*
2. *Je ne...*

E. Choisissez le verbe correct.

1. Il _____ les renseignements.
   ☐ appelle   ☐ s'appelle
2. Elle _____ les enfants à 8 heures.
   ☐ couche   ☐ se couche
3. Tu _____ à quelle heure ?
   ☐ lèves   ☐ te lèves
4. Paul et Sarah _____ .
   ☐ aiment   ☐ s'aiment
5. Mais ils _____ souvent.
   ☐ disputent   ☐ se disputent
6. On _____ où demain ?
   ☐ retrouve   ☐ se retrouve
7. Ils sont très amis, ils _____ tout.
   ☐ racontent   ☐ se racontent
8. Ils _____ de l'affaire Cerise.
   ☐ parlent   ☐ se parlent

12. Les pronoms personnels

1. Pronoms sujets et pronoms toniques

Pronoms toniques	Pronoms	Exemples
moi	je	*Moi, je* travaille chez Peugeot.
toi	tu	Et *toi*, qu'est-ce que *tu* fais ?
lui	il	*Lui, il* connaît la vérité.
elle	elle	*Elle, elle* comprend vite.
nous	on	*Nous, on* aime voyager.
nous	nous	*Nous, nous* sommes canadiens.
vous	vous	Et *vous, vous* êtes français ?
eux	ils	*Eux, ils* sont à Paris.
elles	elles	*Elles, elles* sont à Budapest.

- *vous* peut désigner :
– une personne (*vous* de politesse) ;
– plusieurs personnes (*vous* collectif).
- *on* peut désigner :
– *nous* (langue parlée) :
    On mange à quelle heure ?
– *quelqu'un* (une personne indéterminée) :
    On frappe à la porte. Tu peux ouvrir ?
– *les gens* en général (indéfini) :
    En France, *on* parle français.
- On peut utiliser les pronoms toniques après une préposition.
    À qui est cette tasse ? Elle est *à toi* ?
    Je te téléphone demain, tu es *chez toi* ?

2. Pronoms compléments

- *le / la / l' / les* sont des pronoms compléments **directs**
et remplacent des noms de **choses** ou de **personnes**.
    – Tu vois Paul ?
    – Je *l'*ai vu hier et je *le* vois demain.
- *lui / leur* sont des pronoms compléments indirects et
remplacent des noms de personnes uniquement.
    – Tu as écrit aux Dupont ?
    – Je vais *leur* écrire.
- *m(e) / t(e) / nous / vous*
sont des pronoms directs et indirects.
    – Il *t'*a appelé ?
    – Il *m'*appelle rarement.

3. Place du pronom

- Avec la négation, on met le pronom entre la première
négation et le verbe.
    Je ne *le* vois pas. Je ne *lui* parle pas.
- À l'impératif affirmatif, on met le pronom après le verbe.
    Téléphonez-*lui* ! Appelez-*le* !

A. Complétez.

1. C'est mon parapluie : *il est à moi.*
2. C'est ta montre : elle est _____
3. Ce sont les gants de Sarah : _____
4. C'est la veste de Bill : _____
5. C'est la maison des soeurs Brontë : _____
6. C'est la voiture des frères Martin : _____

B. Récrivez la phrase avec le sujet « on ».

1. Paul et moi, nous travaillons chez KM6.
    Paul et moi, on travaille chez KM6.
2. Au Japon, les gens conduisent à gauche.
    _____ .
3. Nous allons au pot de départ de Jules.
    _____ .
4. Nous sommes heureux de vous revoir.
    _____ .

C. Complétez avec *plus ... que* et un pronom tonique.

1. Paul est sympathique, mais Sébastien est *plus sympathique que lui*.
2. Eva est jolie, mais Julie est...
3. Tu es fort, mais Paul est...
4. Je suis désordonné, mais tu...
5. Ils sont riches, mais on est...

D. Répondez en utilisant un pronom complément.

1. – Vous avez téléphoné à *Mme Beck* ?
    – Oui, je *lui ai téléphoné*.
2. – Tu as demandé le prix ?
    – Oui, je _____
3. – Tu as demandé au *vendeur* ?
    – Oui, je _____
4. – Est-ce que Pauline *t'*a expliqué ?
    – Oui, elle _____
5. – Vous avez répondu aux *Dupont* ?
    – Oui, je _____
6. – Est-ce que vous *me* comprenez ?
    – Désolé, je _____
7. – Tu peux poster *cette* lettre ?
    – Oui, je _____
8. – Vous avez vu *les clés du tiroir* ?
    – Non, je _____

13. Les pronoms relatifs

Les pronoms relatifs relient deux phrases. Ils remplacent un nom et évitent les répétitions.

1. *qui* : sujet

qui est sujet et peut remplacer une personne ou une chose.

- **qui remplace une personne.**

   J'ai une amie. Elle travaille chez Michelin.
   *J'ai une amie **qui** travaille chez Michelin.*

- **qui remplace une chose.**

   Je connais un magasin. Il vend des tapis.
   *Je connais un magasin **qui** vend des tapis.*

2. *que* : complément d'objet direct (COD)

que est COD et peut remplacer une personne ou une chose.

- **que remplace une personne.**

   J'attends une personne. Tu connais cette personne.
   *J'attends une personne **que** tu connais.*

- **que remplace une chose.**

   J'ai trouvé un travail. J'aime ce travail.
   *J'ai trouvé un travail **que** j'aime.*

⚠ que devient qu' devant une voyelle ou un h muet.
   J'ai fait une offre. Il a refusé mon offre.
   *J'ai fait une offre **qu'**il a refusée.*

3. *où* : complément de lieu ou de temps

- **Complément de lieu**

   La banque est à Paris. Il travaille dans cette banque.
   *La banque **où** il travaille est à Paris.*

⚠ où s'emploie aussi après les prépositions **de** et **par**.
   *Je ne sais pas **d'où** il vient.*
   ***Par où** faut-il passer pour aller à la poste ?*

- **Complément de temps**

   *J'aime le mois d'août. C'est le mois **où** il fait beau.*

4. *C'est / Ce sont...qui / que...*

Pour mettre l'accent sur un élément de la phrase.
   *Comme sport, **c'est** le golf **que** je préfère.*
   ***Ce sont** des conditions qui **sont** inacceptables.*

⚠ Remarquez l'accord du verbe dans les phrases suivantes :
   *C'est **moi** qui **ai** raison.*
   *C'est **toi** qui **as** dit ça ?*
   *Ce sont **eux** qui **sont** responsables.*

A. Complétez avec un pronom relatif.

1. C'est quelqu'un _____ je connais bien.
2. C'est mon coeur _____ bat.
3. C'est un livre _____ j'ai déjà lu.
4. C'est un pays _____ j'ai voyagé.
5. C'est l'homme _____ elle aime.
6. C'est Pierre _____ a raison.
7. C'est le téléphone _____ a sonné.
8. C'est une région _____ il fait beau.
9. C'est le directeur _____ décide.
10. C'est le bureau _____ il travaille.

B. Faites une seule phrase avec un pronom relatif.

1. J'ai un nouveau collègue. Il est grec.
   J'ai un nouveau collègue qui est grec.
2. J'étais à une réunion. Elle a duré trois heures.
   _____
3. J'ai invité des amis. Tu ne les connais pas.
   _____
4. Voilà la maison. J'ai passé mon enfance dans cette maison.
   _____
5. J'ai trouvé le livre. Il cherchait ce livre depuis hier.
   _____
6. C'est dans cette salle. On fait la réunion dans cette salle.
   _____
7. Je te présente un copain. Il vient de Toulouse.
   _____
8. J'ai une proposition. Elle va t'intéresser.
   _____

Tableaux des conjugaisons

	Infinitif	Présent	Futur	Passé composé	Imparfait	Impératif présent
AUXILIAIRES	**Être**	je suis tu es il est nous sommes vous êtes ils sont	je serai tu seras il sera nous serons vous serez ils seront	j'ai été tu as été il a été nous avons été vous avez été ils ont été	j'étais tu étais il était nous étions vous étiez ils étaient	sois soyons soyez
	Avoir	j'ai tu as il a nous avons vous avez ils ont	j'aurai tu auras il aura nous aurons vous aurez ils auront	j'ai eu tu as eu il a eu nous avons eu vous avez eu ils ont eu	j'avais tu avais il avait nous avions vous aviez ils avaient	aie ayons ayez
VERBES RÉGULIERS	**Parler**	je parle tu parles il parle nous parlons vous parlez ils parlent	je parlerai tu parleras il parlera nous parlerons vous parlerez ils parleront	j'ai parlé tu as parlé il a parlé nous avons parlé vous avez parlé ils ont parlé	je parlais tu parlais il parlait nous parlions vous parliez ils parlaient	parle parlons parlez
	Se présenter	je me présente tu te présentes il se présente nous nous présentons vous vous présentez ils se présentent	je me présenterai tu te présenteras il se présentera nous nous présenterons vous vous présenterez ils se présenteront	je me suis présenté tu t'es présenté il s'est présenté nous nous sommes présentés vous vous êtes présentés ils se sont présentés	je me présentais tu te présentais il se présentait nous nous présentions vous vous présentiez ils se présentaient	présente-toi présentons-no présentez-vou
	Finir	je finis tu finis il finit nous finissons vous finissez ils finissent	je finirai tu finiras il finira nous finirons vous finirez ils finiront	j'ai fini tu as fini il a fini nous avons fini vous avez fini ils ont fini	je finissais tu finissais il finissait nous finissions vous finissiez ils finissaient	finis finissons finissez
VERBES TRÈS IRRÉGULIERS	**Aller**	je vais tu vas il va nous allons vous allez ils vont	j'irai tu iras il ira nous irons vous irez ils iront	je suis allé tu es allé il est allé nous sommes allés vous êtes allés ils sont allés	j'allais tu allais il allait nous allions vous alliez ils allaient	va allons allez
	Faire	je fais tu fais il fait nous faisons vous faites ils font	je ferai tu feras il fera nous ferons vous ferez ils feront	j'ai fait tu as fait il a fait nous avons fait vous avez fait ils ont fait	je faisais tu faisais il faisait nous faisions vous faisiez ils faisaient	fais faisons faites
	Pouvoir	je peux tu peux il peut nous pouvons vous pouvez ils peuvent	je pourrai tu pourras il pourra nous pourrons vous pourrez ils pourront	j'ai pu tu as pu il a pu nous avons pu vous avez pu ils ont pu	je pouvais tu pouvais il pouvait nous pouvions vous pouviez ils pouvaient	
	Savoir	je sais tu sais il sait nous savons vous savez ils savent	je saurai tu sauras il saura nous saurons vous saurez ils sauront	j'ai su tu as su il a su nous avons su vous avez su ils ont su	je savais tu savais il savait nous savions vous saviez ils savaient	sache sachons sachez
	Venir	je viens tu viens il vient nous venons vous venez ils viennent	je viendrai tu viendras il viendra nous viendrons vous viendrez ils viendront	je suis venu tu es venu il est venu nous sommes venus vous êtes venus ils sont venus	je venais tu venais il venait nous venions vous veniez ils venaient	viens venons venez

Infinitif	Présent	Futur	Passé composé	Imparfait	Impératif présent
Vouloir	je veux tu veux il veut nous voulons vous voulez ils veulent	je voudrai tu voudras il voudra nous voudrons vous voudrez ils voudront	j'ai voulu tu as voulu il a voulu nous avons voulu vous avez voulu ils ont voulu	je voulais tu voulais il voulait nous voulions vous vouliez ils voulaient	veuille/veux voulons veuillez/voulez
Appeler	j'appelle nous appelons ils appellent	j'appellerai nous appellerons ils appelleront	j'ai appelé nous avons appelé ils ont appelé	j'appelais nous appelions ils appelaient	appelle appelons appelez
(s')Asseoir	je m'assieds nous nous asseyons ils s'asseyent	je m'assiérai nous nous assiérons ils s'assiéront	je me suis assis nous nous sommes assis ils se sont assis	je m'asseyais nous nous asseyions ils s'asseyaient	assieds-toi asseyons-nous asseyez-vous
attendre	j'attends nous attendons ils attendent	j'attendrai nous attendrons ils attendront	j'ai attendu nous avons attendu ils ont attendu	j'attendais nous attendions ils attendaient	attends attendons attendez
boire	je bois nous buvons ils boivent	je boirai nous boirons ils boiront	j'ai bu nous avons bu ils ont bu	je buvais nous buvions ils buvaient	bois buvons buvez
conduire	je conduis nous conduisons ils conduisent	je conduirai nous conduirons ils conduiront	j'ai conduit nous avons conduit ils ont conduit	je conduisais nous conduisions ils conduisaient	conduis conduisons conduisez
connaître	je connais nous connaissons ils connaissent	je connaîtrai nous connaîtrons ils connaîtront	j'ai connu nous avons connu ils ont connu	je connaissais nous connaissions ils connaissaient	connais connaissons connaissez
croire	je crois nous croyons ils croient	je croirai nous croirons ils croiront	j'ai cru nous avons cru ils ont cru	je croyais nous croyions ils croyaient	crois croyons croyez
devoir	je dois nous devons ils doivent	je devrai nous devrons ils devront	j'ai dû nous avons dû ils ont dû	je devais nous devions ils devaient	
dire	je dis nous disons ils disent	je dirai nous dirons ils diront	j'ai dit nous avons dit ils ont dit	je disais nous disions ils disaient	dis disons dites
dormir	je dors nous dormons ils dorment	je dormirai nous dormirons ils dormiront	j'ai dormi nous avons dormi ils ont dormi	je dormais nous dormions ils dormaient	dors dormons dormez
écrire	j'écris nous écrivons ils écrivent	j'écrirai nous écrirons ils écriront	j'ai écrit nous avons écrit ils ont écrit	j'écrivais nous écrivions ils écrivaient	écris écrivons écrivez
envoyer	j'envoie nous envoyons ils envoien	j'enverrai nous enverrons ils enverront	j'ai envoyé nous avons envoyé ils ont envoyé	j'envoyais nous envoyions ils envoyaient	envoie envoyons envoyez
éteindre	j'éteins nous éteignons ils éteignent	j'éteindrai nous éteindrons ils éteindront	j'ai éteint nous avons éteint ils ont éteint	j'éteignais nous éteignions ils éteignaient	éteins éteignons éteignez
falloir	il faut	il faudra	il a fallu	il fallait	
Jeter	je jette nous jetons ils jettent	je jetterai nous jetterons ils jetteront	j'ai jeté nous avons jeté ils ont jeté	je jetais nous jetions ils jetaient	jette jetons jetez
lire	je lis nous lisons ils lisent	je lirai nous lirons ils liront	j'ai lu nous avons lu ils ont lu	je lisais nous lisions ils lisaient	lis lisons lisez
mettre	je mets nous mettons ils mettent	je mettrai nous mettrons ils mettront	j'ai mis nous avons mis ils ont mis	je mettais nous mettions ils mettaient	mets mettons mettez

Infinitif	Présent	Futur	Passé composé	Imparfait	Impératif présent
Mourir	je meurs nous mourons ils meurent	je mourrai nous mourrons ils mourront	je suis mort tu es mort ils sont morts	je mourais nous mourions ils mouraient	meurs mourons mourez
Naître	je nais nous naissons ils naissent	je naîtrai nous naîtrons ils naîtront	je suis né nous sommes nés ils sont nés	je naissais nous naissions ils naissaient	nais naissons naissez
Offrir	j'offre nous offrons ils offrent	j'offrirai nous offrirons ils offriront	j'ai offert nous avons offert ils ont offert	j'offrais nous offrions ils offraient	offre offrons offrez
Partir	je pars nous partons ils partent	je partirai nous partirons ils partiront	je suis parti nous sommes partis ils sont partis	je partais nous partions ils partaient	pars partons partez
Payer	je paie/paye nous payons ils paient/payent	je paierai nous paierons ils paieront	j'ai payé nous avons payé ils ont payé	je payais nous payions ils payaient	paie/paye payons payez
Plaire	je plais/ilplaît nous plaisons ils plaisent	je plairai nous plairons ils plairont	j'ai plu nous avons plu ils ont plu	je plaisais nous plaisions ils plaisaient	plais plaisons plaisez
Pleuvoir	il pleut	il pleuvra	il a plu	il pleuvait	
Prendre	je prends nous prenons ils prennent	je prendrai nous prendrons ils prendront	j'ai pris nous avons pris ils ont pris	je prenais nous prenions ils prenaient	prends prenons prenez
Recevoir	je reçois nous recevons ils reçoivent	je recevrai nous recevrons ils recevront	j'ai reçu nous avons reçu ils ont reçu	je recevais nous recevions ils recevaient	reçois recevons recevez
Répondre	je réponds nous répondons ils répondent	je répondrai nous répondrons ils répondront	j'ai répondu nous avons répondu ils ont répondu	je répondais nous répondions ils répondaient	réponds répondons répondez
Rire	je ris nous rions ils rient	je rirai nous rirons ils riront	j'ai ri nous avons ri ils ont ri	je riais nous riions vous riiez	ris rions riez
Servir	je sers nous servons ils servent	je servirai nous servirons ils serviront	j'ai servi nous avons servi ils ont servi	je servais nous servions ils servaient	sers servons servez
Sortir	je sors nous sortons ils sortent	je sortirai nous sortirons ils sortiront	je suis sorti nous sommes sortis ils sont sortis	je sortais nous sortions ils sortaient	sors sortons sortez
Suivre	je suis nous suivons ils suivent	je suivrai nous suivrons ils suivront	j'ai suivi nous avons suivi ils ont suivi	je suivais nous suivions ils suivaient	suis suivons suivez
Tenir	je tiens nous tenons ils tiennent	je tiendrai nous tiendrons ils tiendront	j'ai tenu nous avons tenu ils ont tenu	je tenais nous tenions ils tenaient	tiens tenons tenez
Vendre	je vends nous vendons ils vendent	je vendrai nous vendrons ils vendront	j'ai vendu nous avons vendu ils ont vendu	je vendais nous vendions ils vendaient	vends vendons vendez
Vivre	je vis nous vivons ils vivent	je vivrai nous vivrons ils vivront	j'ai vécu nous avons vécu ils ont vécu	je vivais nous vivions ils vivaient	vis vivons vivez
Voir	je vois nous voyons ils voient	je verrai nous verrons ils verront	j'ai vu nous avons vu ils ont vu	je voyais nous voyions ils voyaient	vois voyons voyez
Voyager	je voyage nous voyageons ils voyagent	je voyagerai nous voyagerons ils voyageront	j'ai voyagé nous avons voyagé ils ont voyagé	je voyageais nous voyagions ils voyageaient	voyage voyageons voyagez

VERBES IRRÉGULIERS

Voyelles arrondies et voyelles écartées
• Une voyelle arrondie est prononcée avec les lèvres arrondies, comme pour siffler (signe conventionnel : x).
• Une voyelle écartée est prononcée avec les lèvres écartées, comme pour sourire (signe conventionnel : ↔).

1. [ə]-[e] : LE-LES

Pour dire « LE », arrondissez les lèvres, comme pour siffler. C'est une voyelle arrondie (x).

Pour dire « LES », écartez les lèvres, comme pour sourire. C'est une voyelle écartée (↔).

🎧195 le/les –te/thé - se lever – le cinéma/les cinémas - le déjeuner /les déjeuners - le secrétaire /les secrétaires – je ne veux pas te déranger - je ne sais que penser – le monsieur de chez Peugeot s'est levé un peu énervé.

2. [i]-[y] : LIT-LU

« LIT » tiré (←→) – « LU » arrondi (x). Pour les deux voyelles, avancez la langue contre les dents inférieures. Ce sont des voyelles antérieures (←).

🎧196 lit/lu – si/su – du/dit – vie/vue – riz/rue – minute – musique – utile – justice – usine – humide – illusion.

Voyelles antérieures et voyelles postérieures
• **Une voyelle antérieure** est prononcée avec la langue en avant, contre les dents inférieures (signe conventionnel : ←) : **deux-doux.**
• **Une voyelle postérieure** est prononcée avec la langue en arrière (signe conventionnel : →) : **dos-du.**

3. [u]-[y] : ROUE-RUE

« ROUE » et « RUE » arrondis (x).
« ROUE » antérieur (←) – « RUE » postérieur (→).

🎧197 la roue/la rue – mou/mu – pour/pur - rousse/russe – Tu étudies où ? – Je n'étudie plus. – Tu as bu une bouteille de muscadet. – Tu as de la confiture sur la bouche.

Voyelles orales et voyelles nasales
• Une voyelle orale est émise uniquement par la bouche : **sot-sa.**
• Une voyelle nasale est émise par la bouche, mais aussi un peu par le nez : **sans-son-sain.**

4. SOT/SA – SANS/SON/SAIN

🎧198 sot/sans/sa – sans/son/sain – beau/banc - canne/quand – cabane/caban – dépanne/dépend –mais/mon – bonne/bon – donne/don – tonne/ton – sonne/son – cochonne/cochon – pas fin

5. [ɛ̃]-[ɑ̃] : CINQ-CENT

« IN » et « EN » sont des voyelles nasales.
« CINQ » antérieur (←) – « CENT » postérieur (→).

🎧199 500 –enfin - impossible – 101 – imbécile –sincèrement –emporter – importer – 501 – intelligent – intelligemment –violent – violemment – cinq chambres simples – étendre – éteindre – c'est vraiment bien – c'est important – attends un instant.

6. [ɑ̃]-[ɔ̃] : CENT-ONZE

« EN » et « ON » sont des voyelles nasales.
« EN » écarté (↔) – « ON » arrondi (x).

🎧200 111 – vent/vont – onze banques – trente pantalons – on se comprend – on se demande – on s'entend – 11 millions d'habitants – on mange sain – on prend des leçons de français – 171

Phonétique

Consonnes sourdes et consonnes sonores

- **Consonnes sourdes** : les cordes vocales ne vibrent pas : **dessert**.
- **Consonnes sonores** : les cordes vocales vibrent : **désert**.

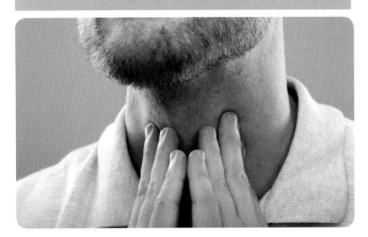

Pour sentir les vibrations, placez les doigts sur la pomme d'Adam. Dites « cé » : il n'y a pas de vibration. Puis dites « zzzzé », sentez-vous la vibration ?

7. [p]-[b] : PONT-BON
P sourd – B sonore

🎧 201 pont/bon – c'est peu – c'est beau – c'est profond – c'est bleu – c'est perdu – c'est bête – c'est bizarre.

8. [k]-[g] : L'ÉCRAN-LES GRANDS
C sourd – G sonore

🎧 202 l'écran/les grands – car/gare – quai/gai – le camp/le gant - les coûts/les goûts - Qu'est-ce que tu regardes ? - Gardez votre calme !

9. [ʃ]-[ʒ] : CHARLES-JACQUES
CH sourd – J sonore

🎧 203 Charles/Jacques – chez/j'ai – ne bouge pas la bouche – il y a des gens aux champs – ton chat est déjà âgé – j'ai acheté un cageot de choux – je cherche une jeune chinoise.

10. [f]-[v] : ACTIF/ACTIVE
F sourd – V sonore

🎧 204 actif/active – relatif/relative – passif/passive – c'est faux - c'est vrai – c'est facile – c'est vide – c'est grave – va à la cave – j'ai fait une gaffe.

11. [t]-[d] : TES-DES
T sourd – D sonore

🎧 205 tes/des - temps/dans – tôt/dos – autorité – addition – attitude - madame - il attaque - tu t'adaptes – c'est utile – c'est idéal – c'est à toi – demain tu dois étudier.

12. [s]-[z] : SEPT-ZÉRO
S sourd – Z sonore

🎧 206 sept/zéro - assis/Asie – coussin/cousin –ils s'arrêtent/ils arrêtent - nous savons/nous avons – ils ont/ils sont – ils sont douze - ils ont soif.

Consonnes momentanées et consonnes continues

- **Consonne momentanée** : appuyez les deux lèvres l'une contre l'autre, puis détachez-les d'un coup net. La consonne explose : elle ne dure pas : **bain**.
- **Consonne continue** : appuyez la lèvre inférieure contre les dents supérieures, puis prolongez le son, laissez passer l'air du début à la fin. La consonne peut être prolongée : elle peut durer : **vin**.

13. [b]-[v] : BAIN/VIN
B momentané. V continu.

🎧 207 le bain/le vin - bu/vu – beau/veau – bon/vont – épais/effet – banc/vent – un habit/un avis – elle a bu/elle a vu – il est à bout/il est à vous – il sent bon/ils s'en vont – c'est bien – c'est vrai.

14. [r]-[l] : ROND-LONG
Le « R » se prononce au fond de la gorge.
Pour prononcer le L, mettez la pointe de la langue contre les dents supérieures avant.

🎧 208 rond/long – le riz/le lit - mur/mule – voir/voile – rue/lu - l'air/l'aile – une belle rose – trop lourd – votre problème - il est fort – elle est folle – elle a une belle robe.

15. UN/UNE + voyelle : UN ÉTUDIANT / UNE ÉTUDIANTE
Prononcez « un-nétudiant / u-nétudiante »

🎧 209 un étudiant – une étudiante – c'est un ami – c'est une amie – c'est un idiot – c'est une idiote – c'est un ingénieur – c'est un homme.

16. « R » final : CUISINIER – CUISINIÈRE

En principe, on ne prononce pas le « R » final dans les infinitifs en –ER et dans les noms ou adjectifs de plus d'une syllabe. « RE » final se prononce [R].

🎧 210 cuisiner – un cuisinier – une cuisinière – parler – compléter – écouter – vérifier – imaginer – préparer – pratiquer – regarder - répéter – habiter – boulanger/boulangère – boucher/bouchère – passager/passagère – pâtissier/pâtissière – policier/policière - caissier/caissière.

17. « E » final : ÉCOUTE-REGARDE

En principe on ne prononce pas le « E » à la fin des mots. On n'entend pas [ə], mais on entend la consonne.

🎧 211 écoute – regarde – imagine - répète – utilise - complète – achète – entoure – consulte – parle – épelle – pratique – prépare - chinois/chinoise – allemand/allemande – roumain/roumaine – argentin/argentine – blond/blonde – voiture – trompette – dictionnaire - confus/confuse – petit/petite – prudent/prudente – bruyant/bruyante – parfait/parfaite – gris/grise – fin/fine – bon/bonne – aucun/aucune.

18. Consonnes finales muettes : TROP, SANS, RIZ, PRIX, VINGT

En général, on ne prononce pas les dernières consonnes écrites des mots.

🎧 212 trop – sans – riz – prix – vingt – fois – port – jus – gars – plafond – souris – document – opposant – mois – contrat –matelas – abricot - bateaux – accident – appétit - ouvrier – jamais – seulement - parler - tu parles – ils parlent – elles dorment – ils peuvent – elles travaillent - je veux – il veut – je fais – il fait – il boit.

19. L'enchaînement vocalique OHÉ ! TU ES OÙ ?

On n'arrête pas la voix entre deux voyelles prononcées.

🎧 212 ohé ! – tu es où ? - tu es à l'aéroport ? – elle va au théâtre – la Hongrie – elle va en Hongrie – là-haut – la hauteur - tu as un vélo ? – une amie allemande – une amie indienne – tu as une amie anglaise et aussi une amie italienne.

20. Enchaînements et liaisons
– AVEC UNE AMIE
Prononcez : a-ve-cu-na-mie
– ILS ONT ACCEPTÉ
Prononcez : il-zon-tac-cep-té

🎧 214 avec une amie – ils ont accepté – ils ont des euros - elle a trente ans – il arrive – il insiste – il y pense – cet été – cette affaire – elle en veut - quelle idée – quelle élégance - il habite à Nice – un petit oubli – un petit espoir – il est absent – vingt ans – un grand avantage – un grand intérêt – quand il voudra – quand on pourra – le dernier étage – le premier ordinateur – il a trente ans – elle a dix-neuf ans – et elle est amoureuse.

21. Accent de mot

La dernière syllabe du mot est la plus longue.

🎧 215 université – administration –international – passeport – caméra –restaurant – hôtel – hôpital – journaliste – police – magazine –impossible –expérience – décision – sandwich.

22. Accent de groupe

La dernière syllabe du groupe rythmique est la plus longue. (Un groupe rythmique = une idée.)

🎧 216 Bonjour, bon**jour** ma**dame**, bonjour madame Du**pont** – Jeanne Du**pont** est dans le bu**reau** – Ses lu**nettes** sont dans le ti**roir** – Depuis un **mois**, il y a des tou**ristes** – Depuis le mois de jui**llet**, il y a des touristes par**tout** – On a mangé une **soupe**, une ome**lette**, des hari**cots**, un gâ**teau** – On a mangé une soupe aux lé**gumes**, des haricots **verts**, un gâteau au choco**lat** – L'été pro**chain**, je vais visiter les Etats-U**nis** avec des a**mis**.

23. Question et réponse

Le ton monte à la fin de la phrase interrogative (↑) et descend à la fin de la phrase assertive (↓).

🎧 217 C'est Max ?↑ – C'est Max.↓ – D'accord ?↑– D'accord. ↓– On peut se voir lundi ?↑ – On peut se voir↑ lundi.↓ – Il est au bureau ?↑– Il est↑ au bureau.↓ –Tu connais le mot de passe ?↑– Tu connais↑ le mot de passe.↓ – Vous pouvez passer demain ?↑ – Je peux passer↑demain.↓ – À demain ?↑– À demain.↓

Les expressions du téléphone

J'appelle

1. Je salue, je me présente.
Bonjour, monsieur.
(C'est) Cécile Labat à l'appareil.
Ici Cécile Labat, de l'agence Bontour.

2. Je vérifie l'identité de mon correspondant.
Monsieur Tissot ?
Vous êtes bien M. Tissot ?
Je suis bien dans l'entreprise Meyer/chez Meyer ?
C'est toi, Thomas ?

3. Je dis à qui je veux parler.
Je souhaiterais parler à M. Tissot, s'il vous plaît.
Je voudrais parler à la personne qui s'occupe de...
Puis-je / Pourrais-je parler à M. Tissot, s'il vous plaît ?
Pouvez-vous / Pourriez-vous me passer M. Tissot ?
(Est-ce que) Thomas est là ?

4. Mon correspondant est absent ou indisponible.
Je rappellerai plus tard.
Est-ce que je peux laisser un message ?
Pouvez-vous me dire quand je peux le joindre ?
Pouvez-vous lui demander de me rappeler ?
Pouvez-vous lui dire que Cécile Labat a appelé ?

5. Je dis le motif de mon appel.
Je vous appelle au sujet de... / C'est au sujet de...
Je vous téléphone parce que...
C'est personnel. J'aurais besoin d'une information
(concernant...).

Je réponds

1. Je confirme mon identité.
Oui, c'est bien moi / c'est lui-même / elle-même.

2. Je demande l'identité de mon correspondant.
C'est de la part de qui ? / Qui dois-je annoncer ?

3. Je demande le motif de l'appel.
C'est à quel sujet ?
Que puis-je faire pour vous ?
En quoi puis-je vous être utile ?
Est-ce que je peux vous renseigner ?

A. 〔218〕 Monsieur Martinache fait plusieurs appels. Écoutez les premières répliques. Choisissez la meilleure réponse (a, b ou c). La solution est donnée pour les deux premiers appels.

1. ☑ a ☐ b ☐ c
2. ☐ a ☐ b ☑ c
3. ☐ a ☐ b ☐ c
4. ☐ a ☐ b ☐ c
5. ☐ a ☐ b ☐ c
6. ☐ a ☐ b ☐ c
7. ☐ a ☐ b ☐ c

B. 〔219〕 Mettez dans l'ordre. Puis écoutez pour vérifier.

• **Entretien 1**
... Ah, Julie !
1 Allô !
8 Oui, voilà, je t'explique...
... Non, pas du tout, je suis content de t'entendre.
... Bonjour, c'est Julie.
... Je ne te dérange pas ?
... Il y a un problème ?
... Je t'appelle au sujet de demain.

• **Entretien 2**
... Oh, désolée.
... Je t'appelle à la fin du film, ok ?
... Entendu, n'oublie pas.
1 Allô Lucas ?
... Oui, c'est moi.
... Au cinéma, le film va commencer.
... C'est Julie. T'es où ?

• **Entretien 3**
... Non, désolé.
... Lucas ? Je crois que vous faites erreur.
1 Allô !
... Ah, excusez-moi.
... Bonjour, est-ce que Lucas est là ?
... Je vous en prie.
... Je ne suis pas chez Lucas ?

4. Je dois passer un correspondant.

Ne quittez pas, je vous le / la passe (tout de suite).
Je vous mets en ligne / Un instant, je vous prie.
Je vais voir s'il est là.

5. Le correspondant est absent ou indisponible.

Le poste est occupé, voulez-vous patienter ?
Je regrette, M. Tissot est en réunion / en déplacement /
absent / en ligne pour le moment.
Son poste ne répond pas.
Il sera là / de retour en fin de matinée.
Voulez-vous lui laisser un message ?
Vous pouvez le joindre sur son portable.
Pouvez-vous rappeler un peu plus tard ?
D'accord, c'est noté. Est-ce qu'il a votre numéro ?

Je rencontre quelques complications

La ligne est mauvaise.
Je ne vous entends pas très bien.
J'ai du mal à vous entendre.
Pourriez-vous parler un peu plus fort / répéter plus
lentement, s'il vous plaît ?

Allô ! Je ne sais pas ce qui est arrivé.
La communication a été coupée.
Nous avons été coupés.
J'ai raccroché par erreur.
J'ai appuyé sur la mauvaise touche.

Pourriez-vous épeler votre nom, s'il vous plaît ?
G comme Georges ou J comme Jacques ?
Je crois que vous avez fait le mauvais numéro.
Je crois que vous faites erreur.
Je suis navré, il n'y a personne de ce nom ici.
Je ne connais pas (de) M. Tissot.

Je ne suis pas au 04 66 01 34 ?
Excusez-moi, je me suis trompé de numéro.
J'ai dû faire une erreur.

Je mets fin à la conversation

Vous pouvez compter sur moi.
Je lui transmettrai votre message.
Je n'y manquerai pas.
Au revoir.

C. Dites-le plus professionnellement.
Associez les chiffres et les lettres.

1. C'est qui ? → e
2. C'est pourquoi ?
3. Hein, qu'est-ce que vous dites ?
4. Vous ne comprenez pas ce que je dis.
5. Désolé, je sais pas.
6. Vous vous appelez comment déjà ?
7. Raccrochez pas.

a. Pouvez-vous répéter, SVP ?
b. Un instant, je me renseigne.
c. Ne quittez pas.
d. C'est à quel sujet ?
e. C'est de la part de qui ?
f. Pouvez-vous me rappeler votre nom, SVP ?
g. Je me suis mal exprimé.

D. 🎧220 **Ces phrases sont extraites de différents entretiens téléphoniques. Complétez les mots manquants. Puis écoutez pour vérifier.**

1. Un instant, je vous la p_____.
2. Elle est en l_____.
3. Voulez-vous p_____?
4. Je peux l_____ un message ?
5. Pouvez-vous é_____ votre nom ?
6. Excusez-moi, j'ai r_____ par erreur.
7. Appuyez sur la t_____ dièse (#).
8. La l_____ n'est pas très bonne.
9. Vous pouvez c_____ sur moi.

E. Complétez librement.

1. C'est de la part de qui ?
C'est _____ .
2. C'est à quel sujet ?
J'appelle _____ .
3. Que puis-je faire pour vous ?
Je voudrais _____ .
4. Voulez-vous laisser un message ?
Oui, pouvez-vous _____ .
5. M comme Martin ?
Non, _____ .
6. Au revoir.
_____ .

Les expressions de la correspondance professionnelle

1. Je salue mon correspondant par un « titre de civilité ».

Si j'écris à...	
une entreprise, administration, etc.	– **Madame, Monsieur,** – ou **Messieurs,**
une personne en particulier	– **Madame** (Bic), ou **Monsieur** (Bic), – **Cher Monsieur / Chère Madame,** – **Bonjour Madame/Monsieur** (Bic), – **Bonjour Pauline/Paul,**
un responsable	**Monsieur** le Directeur,

2. Je commence par rappeler un événement passé ou le document à l'origine de mon courrier.

Le 3 mars, j'ai acheté un smartphone SX7 dans votre magasin.

Il y a près d'un mois, je vous ai demandé un devis pour les travaux de rénovation de mon appartement.

Nous nous sommes rencontrés en juin dernier au salon du chocolat à Paris.

J'utilise souvent les expressions suivantes :

J'ai pris bonne note de **J'ai bien reçu** **Je me réfère à** **Je fais suite à** **Je vous remercie de**	*votre offre du 3 mars*	**concernant** *le livre...* **m'informant que** *vous...* **nous proposant de** *participer...*
À la suite de votre offre du 3 mars, nous vous adressons...		
Votre offre du 3 mars **a retenu toute mon attention.**		

3. J'informe ou je confirme.

Je vous informe que *notre restaurant ouvrira...*

Je vous précise/rappelle/confirme que...

J'ai le plaisir/le regret de vous informer que...

Je suis heureux de vous confirmer *la visite de...*

Comme convenu, *je vous réglerai...*

4 Je formule ma demande.

Je vous prie de (bien vouloir) *m'indiquer...*

Pourriez-vous *m'envoyer...* ?

Merci de (bien vouloir) *m'envoyer...*

5. J'annonce un envoi.

Vous trouverez **Je vous envoie**	**ci-joint**	*la facture n°...*

A. Dans chaque phrase, le mot en rouge ne convient pas. Remplacez-le par un mot approprié.

1. J'ai pris bonne ~~notation~~ *note* de votre demande.
2. J'ai le *plaisir* de vous informer du décès notre collègue Jeremy Legendre.
3. *Comme on a dit*, nous commencerons les travaux lundi prochain.
4. J'ai le *regret* de vous annoncer la sortie de mon nouveau roman.
5. Tu *verras* ci-joint le compte-rendu de la réunion du 12 janvier.
6. J'ai *l'attention* d'aller à Berlin le mois prochain.
7. Je ne peux *heureusement* pas vous donner satisfaction.
8. Nous *souhaitons* que cette solution vous donnera satisfaction.
9. Je vous en remercie *en* avance.
10. Je vous prie de recevoir, Madame, mes *sympathiques* salutations.

B. Associez les chiffres et les lettres.

1. Peux-tu me dire → **e**
2. Je vous prie de bien vouloir
3. J'ai pris bonne note
4. Vous trouverez ci-joint
5. Je m'intéresse particulièrement
6. Nous sommes dans l'obligation
7. Comme convenu,
8. Nous sommes prêts
9. Je reste à votre disposition

a. le programme détaillé du séminaire.
b. aux nouvelles technologies.
c. faire le nécessaire pour le remboursement.
d. à vous accueillir à notre nouvelle adresse.
e. à quelle heure commence la réunion ?
f. de votre demande du 21 juillet.
g. pour tout complément d'information.
h. d'annuler notre visite à Honfleur.
i. je t'envoie les photos du restaurant.

6. Je manifeste de l'intérêt, je dis mon intention.

Je m'intéresse à / Je suis intéressé(e) par votre offre...
Votre proposition m'intéresse (vivement) et...
J'ai l'intention de / Je souhaiterais vous commander...
Je suis prêt(e) à vous offrir...

7. J'exprime l'obligation, la possibilité ou l'impossibilité.

Je suis obligé(e)/dans l'obligation de reporter...
Je (ne) peux (pas) vous donner satisfaction.
Je suis (malheureusement) dans l'impossibilité de...

8. Je termine par une formule de conclusion...

Conclure, c'est généralement :	Exemples
Attendre	· Je reste dans l'attente de votre réponse.
Espérer	· J'espère que cette solution vous donnera satisfaction.
Remercier	· Je vous en remercie par avance. · Merci par avance.
Regretter	· Je regrette de ne pas pouvoir vous donner satisfaction.
S'excuser	· Je vous prie d'excuser cet incident / ce contretemps.
Rester à disposition	· Je reste à votre disposition pour tout renseignement complémentaire.

9. ... suivie d'une formule de salutation.

– *Je vous prie de recevoir, M...*, mes meilleures salutations.*
– *Cordialement,***
– *Bien / Très cordialement,*
– *Amitiés / Amicalement,*

* On reprend le titre de civilité utilisé au début du message.
** « Cordialement » est – de loin – la formule la plus utilisée.

C. Voici des extraits de mails. Complétez les mentions manquantes.

Bonjour monsieur Raymond,

Je fais s_____(1) à notre entretien téléphonique d'hier et vous e_____(2) ci-joint le rapport ABC. J'es_____(3) que ce document vous sera utile.

Bonjour,

Nous avons le p_____(4) de vous inviter au salon des Entrepreneurs à Cannes. Nous serons h_____(5) d'échanger sur les dernières tendances. M_____(6) de bien v_____(7) con_____(8) votre participation ICI.
À bientôt sur notre stand.

Chers collègues

Je vous ra_____(9) que notre réunion de service se tiendra ce mardi de 14h30 à 16h30 dans la salle 43. Je compte sur votre présence.
Bien c_____(10),

Bonjour Mathieu,

Nous avons l'in_____(11) d'organiser des concerts à Brazzaville. Po_____(12)-tu m'envoyer ton bouquin sur la musique de Mbemba ?

Bonjour madame Claudel,

Nous avons b_____(13) reçu votre commande et vous re_____(14) de votre confiance. Vous po_____(15) suivre son avancement sur votre Espace Client.

Monsieur,

Votre déclaration de sinistre a ret_____(16) toute notre a_____(17). Toutefois, nous ne pouvons mal_____(18) pas...

Lexique

1. Premiers contacts

🎧 221 1. Faire ses premiers pas

> conversation / dictionnaire / dix / écrivez / merci / ~~mots~~ / de nouveau / vérifier

1. Complétez avec les *mots* ci-dessus.

2. Lisez et _____ les mots manquants.

3. Si besoin, consultez le _____.

4. Allez à la page _____

5. Écoutez pour _____.

6. Écoutez _____ et répétez.

7. Pratiquez la _____ avec votre voisin.

8. Au revoir, et _____ pour les fleurs.

🎧 222 2. Faire connaissance

> a / m'appelle / français / française / habite / mais / parle / suis

1. Je _____ Carla.

2. Je _____ italienne.

3. Elle _____ vingt-six ans demain.

4. Elle _____ à Paris.

5. Elle parle anglais et _____.

6. Bien sûr, elle _____ aussi italien.

7. Alia est algérienne et _____.

8. Dilan est turc, _____ il habite en Grèce.

🎧 223 3. Entrer en relation

> accent / ça / enchanté / êtes / parlez / un peu / pouvez / toi

1. Vous _____ monsieur ?

2. Je suis Nicolas Méric, _____.

3. Vous _____ épeler votre nom ?

4. Avec un _____ sur le « e ».

5. Vous _____ français ?

6. Salut, comment _____ va ?

7. Bien, et _____ ?

8. Je parle _____ français.

🎧 224 4. Travailler en entreprise

> boulanger / responsable / connaissez / entreprise / est-ce / étudiante / faites / vend

1. Vous _____ Lucie et Arthur ?

2. Elle est _____ des ventes chez Peugeot.

3. Peugeot est une _____ automobile.

4. Lucie _____ des voitures.

5. Arthur est _____.

6. Et la jeune fille là-bas, qui _____ ?

7. C'est Jenny, une _____.

8. Qu'est-ce que vous _____ dans la vie ?

🎧 225 5. Communiquer ses coordonnées

> adresse / code / fonction / Jacques / nom / numéro / prénom / profession / ville

1. Le _____ : Max. Le _____ : Janin.

2. Ça s'écrit avec un J, comme _____.

3. La _____ ? Ingénieur.

4. La _____ ? Directeur technique.

5. Le _____ de téléphone : 251 9863.

6. Quelle est l'_____ de l'entreprise ?

7. Vancouver, une _____ canadienne.

8. Je ne connais pas le _____ postal.

2. Objets

🎧228 1. Utiliser des objets

agenda / avion / clou / jouer / journal / payer / stylo / tasse

1. J'ai besoin d'un _____ pour écrire.

2. Tu sais _____ aux échecs ?

3. Je prends l'_____ demain pour Hanoi.

4. J'ai besoin d'une _____ de café.

5. Vous pouvez _____ par carte bancaire.

6. Il ne sait pas planter un _____.

7. J'ai votre numéro dans mon _____.

8. Vous connaissez le _____ Le Monde ?

🎧227 2. Avoir ou ne pas avoir

achète / aime / cher / coûte / cravate / heureux / librairie / lunettes / question

1. J'ai besoin de _____ pour lire.

2. Sa voiture _____ 30 000 euros.

3. J'_____ mes livres dans une _____.

4. J'_____ le thé, mais je préfère le café.

5. 10 € pour ce vélo, ce n'est pas _____.

6. Il a tout pour être _____.

7. Il est en costume, chemise et _____.

8. As-tu une réponse à ma _____ ?

🎧228 3. Situer des objets

cafetière / étagère / feuille / gants / imprimante / par terre / tiroir / vase

1. Voilà une _____ de papier et un stylo.

2. Les classeurs sont sur l'_____.

3. Tes lunettes sont dans le _____.

4. Elle n'aime pas les _____ en cuir.

5. C'est une _____ 3D.

6. Voilà le café, où est la _____?

7. J'ai mis des fleurs dans le _____.

8. Il y a un tapis d'orient _____.

🎧229 4. Décrire des objets

belles / blanc / bruyant / froid / manque / marque / rapide / vert

1. Vous préférez le vin rouge ou _____?

2. Un thé _____ ou un thé noir ?

3. Vous êtes très _____, mesdames.

4. C'est _____ ? – Non, c'est très silencieux.

5. Apple est une _____ américaine.

6. Il _____ vingt euros dans la caisse.

7. Vous voulez un buffet chaud ou _____?

8. Merci pour votre réponse _____.

🎧230 5. Dire ses préférences

bon / bon marché / discutes / lourde / magasin / pratique / transport / station

1. Une montre à trois euros, c'est _____.

2. Le vélo, un moyen de _____ écologique.

3. Luc est très _____ en informatique.

4. Tu _____ avec le vendeur, tu négocies.

5. Decathlon est un _____ de sport.

6. RFI, ma _____ de radio préférée.

7. La valise est _____, elle pèse 25 kilos.

8. Le métro est _____ pour se déplacer.

3. Agenda

🎧 1. Donner l'heure

après-midi / commence / concerne / demande / fermés / finit / ouvre / projet

1. Désolé, nous sommes _____.

2. J'ai un rendez-vous cet _____.

3. Nous travaillons sur un gros _____.

4. Lucie _____ l'heure de la réunion.

5. Le second point _____ les coûts.

6. La clé verte _____ la porte verte.

7. L'histoire_____ mal,

8. mais heureusement elle_____bien.

🎧 2. Raconter sa journée de travail

célibataire / douche / joue / se maquille / petit déjeuner / se rase / me lève / te couches /

1. Aya, mon cœur, le _____ est prêt.

2. Demain, je _____ à 6 heures.

3. Elle _____ de la guitare et du piano.

4. Je prends une _____ et j'arrive.

5. Elle _____ et s'habille comme Léa.

6. Paul _____ un jour sur deux.

7. Il est beau, riche, et il est _____.

8. Tu _____ à quelle heure le soir ?

🎧 3. Parler de ses habitudes

apportons / assistons / écoute / enfants / mange / patron / rencontre / reste / quitte

1. Salomé ? C'est la secrétaire du _____.

2. Elle _____ son mari et ses _____.

3. Nous _____ de bonnes nouvelles.

4. L'Italie _____ l'Allemagne en finale.

5. Nous _____ à un cours de français.

6. J'_____ les informations à la radio.

7. Nicolas ne _____ jamais de légumes.

8. Je _____ au lit, je suis malade.

🎧 4. Raconter les mois et les saisons

anniversaire / chaud / collègue / fait / nuages / pleut / saison / soleil / vacances

1. Ils prennent des _____ en août.

2. Mon _____ est le 25 juillet.

3. Comment ça va, cher _____ ?

4. Je me lève avec le _____.

5. L'hiver, c'est la _____ de la neige.

6. Ici, il _____ très _____ en été.

7. Il y a des _____ noirs dans le ciel.

8. Il _____, je reste à la maison.

🎧 5. Prendre rendez-vous

d'accord / dents / libre / mal / passent / me repose / reviens / se voir

1. Ça ne va pas, j'ai _____ à la tête.

2. Je me lave les _____ trois fois par jour.

3. Si tu veux, on peut _____ demain soir.

4. Une minute, je _____ tout de suite.

5. Désolé, je ne suis pas _____ ce soir.

6. Ils _____ le week-end à la campagne.

7. Je ne dors pas, je _____.

8. Je suis _____ avec vous sur un point.

4. Voyage

1. Descendre à l'hôtel

fait / pièce / poser / quartier / régler / salle / serviable / spacieuse

1. La maison est confortable et _____.

2. Je dois _____ une facture de 140 euros.

3. Vous avez une _____ d'identité ?

4. Elle _____ ses achats en ligne.

5. Je peux _____ une question ?

6. La _____ de réunion est prête.

7. L'hôtel est dans le_____ des affaires.

8. Le personnel est compétent et _____.

2. Prendre le bon chemin

au bout de / continue / étage / local / plan / se trouve / traverses / trottoir

1. Il y a un _____ de la ville dans la gare.

2. Mon bureau _____ au centre-ville.

3. Va à gauche, puis _____ tout droit.

4. Je loue un _____ commercial près d'ici.

5. Elle habite au huitième _____.

6. Les escaliers sont _____ ce couloir.

7. Marchez sur le _____, pas dans la rue.

8. Tu _____ le pont et c'est sur la droite.

3. Se déplacer

banlieue / me déplace / dure / embouteillage / pays / prend / siège social / usine

1. Il y a un gros _____ sur l'autoroute.

2. L'Algérie est un _____ pétrolier.

3. Il travaille dans une _____ de BMW.

4. Je _____ à pied ou à vélo.

5. On _____ l'avion pour Tokyo demain.

6. Le voyage _____ deux heures.

7. Le _____ de l'entreprise est à Paris.

8. Elle vit dans la _____ de Milan.

4. Conseiller un voyageur

m'adapte / attention / conduit / me débrouille / interdit / oublie / payer / respecte

1. Il est _____ de fumer dans le métro.

2. On peut _____ par carte ou en espèces.

3. Tu dois faire _____ à ta santé.

4. Je _____ ton opinion.

5. Ne t'inquiète pas, je _____ très bien.

6. Elle _____ la voiture de son patron.

7. N'_____ pas le rendez-vous jeudi.

8. Je ne _____ pas à ces nouvelles règles.

5. Prendre le train

aller-retour / s'arrête / comment / suis au courant / départ / gare / partons / toujours

1. Nous _____ demain pour Genève.

2. Le billet coûte 90 € _____.

3. Prends le train, je t'attends à la _____.

4. Je _____ de la situation.

5. Tu es très ponctuelle, comme _____.

6. Le train _____ deux fois.

7. Vous payez _____, monsieur ?

8. Il y a un _____ toutes les 20 minutes.

5. Travail

1. Participer à un déjeuner d'affaires

addition / assiette / commander / dessert / entrée / frites / fromage / sel

1. J'ai faim, je vais _____ une pizza.

2. Je prends une _____ de spaghettis.

3. Monsieur, l'_____, s'il vous plaît.

4. Six burgers, trois avec du _____.

5. Comme _____, un morceau de gâteau.

6. Je voudrais une soupe en _____.

7. Ajoute le poivre et le _____.

8. Je prends un hamburger, avec des _____.

2. Passer un appel téléphonique

appel / connais / épeler / instant / joindre / ligne / peine / regrette

1. J'entends, c'est pas la _____ de crier.

2. Au bureau, j'ai une _____ directe.

3. Je _____, Mme Wood est en réunion.

4. Un _____, s'il vous plaît.

5. «Scherbatsky», c'est dur à _____.

6. Pierre, tu as un _____ de Léa.

7. Je dois _____ le médecin d'urgence.

8. Je _____ très bien Mme Wood.

3. Dire son expérience

à l'étranger / candidats / cours / juriste / gagne / motivation / offre / poste / sais

1. Elle _____ très bien sa vie.

2. J'envoie un CV et une lettre de _____.

3. Il y a dix _____ pour ce _____.

4. Elle a travaillé longtemps _____.

5. J'ai reçu une _____ d'emploi.

6. J'ai un _____ de français demain matin.

7. Elle est _____ de formation.

8. Est-ce que tu _____ cuisiner ?

4. Donner de ses nouvelles

arrête / cherche / embauché / licencier / quitte / retraite / service / stage

1. Elle travaille au _____ du personnel.

2. Le directeur a pris sa _____ à 65 ans.

3. Ils ont _____ un nouveau chef.

4. C'est ma faute, vous pouvez me _____.

5. Il _____ le bureau à 18 heures.

6. Il fait un _____ de deux mois chez KM6.

7. Je _____ un travail à mi-temps.

8. S'il te plaît, _____ de mentir.

5. Répondre à ses mails

adresse / arrive / chiffres / hésité / infos / recevons / à la recherche / traduire

1. Elle n'_____ pas à dormir.

2. Nous _____ des amis pour dîner.

3. Il est _____ d'un stage.

4. Je vous _____ mes félicitations.

5. Les _____ du chômage sont mauvais.

6. Je n'ai pas _____ une seconde.

7. Nous devons _____ le site en anglais.

8. J'ai trouvé des _____ intéressantes.

6. Problèmes

1. Traiter un problème relationnel

> aider / à bientôt / comptable / dire / moment / te concentrer / formation / remplacent

1. Il suit une _____ en informatique.
2. Les robots _____ les ouvriers.
3. On est débordés en ce _____ .
4. Tu dois _____ sur ton travail.

5. Tu peux nous _____, s'il te plaît ?
6. Au revoir, Alexandra, _____ !
7. Voici Tony, notre nouveau _____.
8. Qu'est-ce que tu veux _____ ?

2. Faire face à un contretemps

> se couche / disputé / s'énerver / grave / se passe / trompé / rater / reporté

1. Tu te dépêches, on va _____ le train.
2. Je me suis _____ de valise !
3. Il s'est _____ avec son meilleur ami.
4. Elle a _____ son départ à demain.

5. Calme-toi, qu'est-ce qui _____ ?
6. C'est _____, docteur ?
7. Ça ne sert à rien de _____.
8. Il _____ tard et il se lève tôt.

3. Résoudre un problème informatique

> allume / clavier / déranger / éteindre / marche / mot de passe / souris / touche

1. Chérie, tu peux _____ la lumière ?
2. Monte à pied, l'ascenseur ne _____ pas.
3. Excusez-moi de vous _____.
4. C'est quoi le _____ ?

5. Appuyez sur la _____ dièse.
6. J'utilise un _____ AZERTY.
7. On ne voit rien, _____ la lampe.
8. Clique sur le bouton droit de la _____.

4. Faire de petites réparations

> à clé / feuille / mets / mis / regarde / tiens / tirez / tiroir / laisse tomber / touche

1. Lola, _____ -moi la main, s'il te plaît.
2. Ferme _____, c'est plus prudent.
3. Écris ton nom sur une _____ de papier.
4. C'est pas important, _____.

5. J'ai _____ les outils dans le _____.
6. Ne _____ pas, poussez.
7. Ne _____ pas à ça, c'est dangereux.
8. Hé ! _____ où tu _____ les pieds.

5. Proposer des solutions

> s'asseoir / faire confiance / formalités / raté / retenir / me sens / tousser / vérité

1. Je m'occupe des _____ administratives.
2. Dommage, on a _____ une affaire.
3. Je la crois, elle dit la _____.
4. On va _____ sur ce banc et attendre.

5. Je suis malade, je n'arrête pas de _____.
6. Je ne _____ pas bien aujourd'hui.
7. Je n'arrive pas à _____ son nom.
8. Il est sérieux, tu peux lui _____.

7. Tranches de vie

1. Se rappeler ses petits boulots

boulot / me fâcher / enfance / financer / fixe / peur / pourboire / serveur

1. Il reçoit un salaire _____.

2. N'oublie pas de laisser un _____.

3. Je demande l'addition au _____.

4. Si tu continues, je vais _____.

5. Nous avons eu une _____ heureuse.

6. Ils ont les moyens de _____ ce projet.

7. J'ai besoin de toi pour un petit _____.

8. Il est coléreux, j'ai _____ de sa réaction.

2. Suivre les faits divers

chance / convaincre / dépenses / en panne / m'occupe / rembourser / réparé / réseaux

1. Mon taxi est tombé _____ d'essence.

2. Merci d'avoir _____ mon vélo.

3. J'espère que vous aurez de la _____.

4. Tu dois _____ ta dette très vite.

5. J'essaye de la _____ d'accepter.

6. Tu _____ combien en maquillage ?

7. Il est très actif sur les _____ sociaux.

8. Laisse ça, je _____ de tout.

3. Faire carrière

contrat / dirige / s'entend / entretien / en grève / produit / retraite / voyage

1. Il prévoit de prendre sa _____ à 70 ans.

2. Je prépare un _____ d'embauche

3. Mon avocat va préparer le _____.

4. Sa femme revient d'un _____ d'affaires.

5. Elle _____ une école de commerce.

6. Les chauffeurs de bus sont _____.

7. Cette usine _____ des sacs en plastique.

8. Elle _____ bien avec son patron.

4. Gérer le stress

cassé / consommation / déprimée / empêche / gère / réclament / salarié / servi

1. Ne t'en fais pas, je _____ la situation.

2. Le bruit nous _____ de travailler.

3. Il s'est _____ le bras au ski.

4. Ils _____ des augmentations de salaire.

5. Il m'a _____ un bon café.

6. J'étais trop _____ pour aller travailler.

7. La publicité pousse à la _____.

8. Il n'est pas _____, c'est un indépendant.

5. Faire des projets

au chômage / change / convenu / passerai / possible / rapport / remis / terminé

1. Je dois faire un _____ sur l'accident.

2. Rappelez-moi dès que _____.

3. Je viens à 17 heures, comme _____.

4. Si tu le croises, _____ de trottoir.

5. Je n'ai pas _____ mes études.

6. Depuis son licenciement, il est _____.

7. Je _____ te voir demain.

8. Il a _____ notre rendez-vous à demain

Transcription des enregistrements

Vous trouvez ci-dessous les transcriptions des enregistrements audio qui ne sont pas données dans les documents accompagnant les activités.

Unité 1. Premiers contacts (*page 8*)

un bus, une voiture, un dictionnaire, des fleurs, des euros.

un avion, un taxi, des sports, une caméra, une bicyclette, des restaurants, un passeport, un cinéma.

Dialogue 1

A : Bonjour, je voudrais trois tickets, s'il vous plaît.

B : Pardon ?

A : Trois tickets, s'il vous plaît.

B : Voilà.

A : Merci.

Dialogue 2

A : Bonjour, je voudrais dix tickets, s'il vous plaît.

B : Un carnet alors.

A : Oui, c'est ça, un carnet de dix, s'il vous plaît.

Dialogue 3

A : Bonjour, je voudrais cinq tickets, s'il vous plaît.

B : Ça fait cinq euros.

A : Voilà deux, et deux quatre, et un cinq.

B : Merci.

A : Un ticket.

B : Bonjour, monsieur.

A : Bonjour, un ticket.

B : Pardon ?

A : Un ticket, s'il vous plaît.

B : Un euro.

A : Pardon ?

B : Un euro, s'il vous plaît.

A : Voilà.

B : Merci, au revoir, monsieur.

A : Au revoir.

John : Bonjour, je m'appelle John. Je suis anglais, mais j'habite à Paris.

Ingrid : Bonjour. Moi, je suis Ingrid. Je suis allemande. Je suis étudiante à Genève. Je parle anglais, français, allemand. J'ai 19 ans.

Fabien : Bonjour. Moi, je m'appelle Fabien. Je suis français. J'habite à Lyon. Je parle français et italien. J'ai 40 ans. Et vous ?

1. John est anglais.   **6.** Elle a 19 ans.

2. Il habite à Paris.   **7.** Fabien est français.

3. Elle s'appelle Ingrid.   **8.** Il habite à Lyon.

4. Elle est allemande.   **9.** Il parle français et italien.

5. Elle est étudiante.   **10.** Il a 40 ans

21, 22, 23, 24, 25, 26, 27, 28, 29, 30, 31, 32, 40, 50, 60, 61, 62, 63, 69.

1 : Bonjour, je m'appelle Aïssa. Je suis marocaine, j'habite à Rabat, je parle arabe et français. J'ai 32 ans.

2 : Bonjour, moi, je m'appelle Bin. Je suis chinois. J'ai 44 ans. J'habite à Pékin.

3 : Bonjour, moi, je m'appelle Batacar. Je suis sénégalais, j'habite à Dakar. J'ai 50 ans.

4 : Bonjour, je suis Lara, j'ai 21 ans. Je suis turque, j'habite à Istanbul.

1. *A :* Tu vas bien ?

   B : Oui, et toi ?

2. *A :* Vous allez bien ?

   B : Ça va, merci.

3. *A :* Vous êtes Léo Maçon ?

B : Oui, c'est moi.

4. A : Vous pouvez épeler votre nom ?

B : M.A.C cédille.O.N.

5. A : Vous parlez français ?

B : Oui, un peu.

1. L'Oréal est une entreprise française. Elle vend des produits de beauté.

2. Airbus est une entreprise européenne. Elle fait des avions.

3. Toyota est une entreprise japonaise. Elle fait des voitures.

4. McDonald est un restaurant américain. Il vend des hamburgers.

5. Adidas est une entreprise allemande. Elle vend des articles de sport.

A : Qui est-ce ?

B : C'est Pierre Dumas.

A : Qu'est-ce qu'il fait ?

B : Il est comptable.

A : Il travaille où ?

B : Chez Mobilis. C'est une entreprise française. Elle fait des meubles.

A : Qui est-ce ?

B : C'est Vanessa Lopez.

A : Elle est espagnole ?

B : Non, elle est française.

A : Qu'est-ce qu'elle fait ?

B : Elle est ingénieur.

A : Elle travaille où ?

B : À Tokyo, chez Nissan.

A : Nissan ?

B : C'est une entreprise japonaise. Elle fait des voitures.

A : Vous travaillez où ?

B : Je travaille chez Bic. C'est une entreprise française. Elle vend des stylos. Vous connaissez Bic ?

A : Oui, bien sûr. Qu'est-ce que vous faites chez Bic ?

B : Je suis vendeur.

A : Qu'est-ce que vous vendez ?

B : Je vends des stylos.

70, 71, 72, 73, 80, 81, 82, 90, 91, 92, 98, 99.

A : Société KM2, bonjour.

B : Bonjour, je voudrais parler à monsieur Leduc, s'il vous plaît.

A : Je regrette, mais monsieur Leduc est absent. C'est de la part de qui ?

B : Je suis madame Catalla. Est-ce que monsieur Leduc peut me rappeler ?

A : Oui, bien sûr. Quel est votre numéro de téléphone ?

B : C'est le 01 74 82

A : 01 74 82

B : 92 92

A : 92 deux fois ?

B : Oui, c'est ça. Bon, maintenant, je vous donne mon email.

A : Votre email ?

B : Oui, alors, mon email, c'est g.catalla@wanadoo.fr

A : Vous pouvez épeler, s'il vous plait ?

B : Oui, alors, G, comme Georges, point, catalla, arrobas...

A : Et catalla, ça s'écrit comment ?

B : C.A.T.A.L.L.A

A : Deux L ?

B : Oui, c'est ça.

A : Et ensuite...

B : Alors, deux L.A, arrobas, wanadoo,.fr

A : Vous pouvez répéter, s'il vous plaît ?

B : Alors, g.catalla@wanadoo.fr

A : Merci.

B : Maintenant, je vous donne mon adresse.

A : Votre adresse ?

B : Oui, alors, mon adresse, c'est...

1. A : Bonjour !
   B : Salut, tu vas bien ?
2. A : Vous allez bien ?
   B : Et toi ?
3. A : Je vous présente Paul Beck.
   B : Enchanté.
4. A : Vous parlez français ?
   B : Oui, je suis français.
5. A : Vous êtes étudiant ?
   B : Non, je travaille.
6. A : Vous habitez où ?
   B : À Paris.
7. A : Vous êtes monsieur ?
   B : Dupont, Paul Dupont.
8. A : Quel est votre prénom ?
   B : Je m'appelle Paul.
9. A : N comme Nicolas ?
   B : Non, M comme Martin.
10. A : E accent aigu ?
   B : Non, c'est un accent grave.
11. A : Quelle est votre fonction ?
   B : Je suis directeur commercial.
12. A : Voici les coordonnées de Michèle.
   B : Merci.

1. Catherine parle russe et chinois.
2. Elle a 32 ans.
3. Qui est-ce ? – C'est Paul Beck.
4. Ce sont des amis.
5. Quel est le nom de la rue ?
6. Vous connaissez la profession de madame Kilani ?
7. C'est l'assistante du directeur.
8. Tu connais les coordonnées de Paul ?

1. A : Bonjour, vous êtes Sarah ?
   B : Oui.
   A : Je suis Paul Beck.
   B : Ah, monsieur Beck, enchantée.
2. A : Excusez-moi, qu'est-ce que vous faites ?
   B : Je travaille.

A : Pardon ?
B : Je dis que je travaille.
A : Ah bon, vous travaillez !
3. A : Société KM2, bonjour.
   B : Bonjour, madame, je suis Paul Beck.
   A : Ah, monsieur Beck, comment allez-vous ?
4. A : Vous avez un numéro de téléphone ?
   B : Oui, alors, c'est le 01 54 54 10 11
   A : 01 54 54 10 11
   B : C'est ça.
5. A : Vous connaissez Bic ?
   B : Pardon ?
   A : Bic, vous connaissez ?
   B : Non, qu'est-ce que c'est ?
   A : C'est une entreprise.
   B : Une entreprise ? Qu'est-ce qu'elle fait ?
   A : Des stylos, des rasoirs, des briquets…

1. une radio – **2.** une idée – **3.** un problème – **4.** une Polonaise – **5.** C'est un collègue – **6.** C'est une Parisienne – **7.** Il est grec – **8.** Elle est journaliste.

1. Ça va. – **2.** Il va bien ? – **3.** Elle vend des livres ? – **4.** Ce sont des clients ? – **5.** Il est architecte. – **6.** Ce sont les coordonnées de Paul Beck – **7.** soixante-dix neuf – **8.** Elle habite à Florence ?

1. Elle connaît le responsable. – **2.** Voilà les billets. – **3.** Il travaille dans les bars. – **4.** Elle fait le gâteau. – **5.** J'ai les livres.

Bonjour, je m'appelle Julie Vidal, j'habite 56 rue Velpeau, à Antony. Le code postal est : 92 160. 92 160. Je vous donne mon numéro de téléphone et mon email. Alors, le numéro de téléphone, c'est le 01 49 56 23 12. Je répète : 01 49 56 23 12. Mon email, c'est j.vidal@oam.com. Je répète : j.vidal@oam.com. Bon, quoi encore ? Euh… je suis célibataire, j'ai 28 ans, et euh… je suis française. Je travaille à Paris, dans une compagnie d'assurances. Je suis assistante de direction et la compagnie s'appelle MGE. Les Assurances MGE, vous connaissez ?

Unité 2. Objets (*page 24*)

 J'ai mon passeport, ma carte bancaire, mes clés, mes lunettes, mon stylo, mon téléphone.

Situation 1

A : Excusez-moi.

B : Oui ?

A : Je voudrais quelque chose pour couper ?

B : Pour couper ?

A : Oui, pour couper une feuille de papier.

B : Ah, vous voulez dire des ciseaux ?

A : Oui, c'est ça, vous vendez des ciseaux ?

Situation 2

A : Excusez-moi, j'ai besoin de quelque chose pour boire ?

B : Pour boire ? Un verre ?

A : Non, non, pour boire mon café.

B : Ah, une tasse ?

A : Oui, c'est ça, une tasse.

Situation 3

A : Excusez-moi, je cherche un... euh...

B : Qu'est-ce que vous cherchez ?

A : Un... euh... quelque chose pour mettre mon livre.

B : Un sac ?

A : Oui, c'est ça, un sac.

Je n'ai pas de téléphone haut de gamme.
Pas de voiture électrique, pas de vélo de course.
Je ne fais pas d'haltères le matin.
Je n'ai pas d'écouteurs dans les oreilles.
Je n'écoute pas Cœur De Pirate.
Je ne bois pas de vins bios.
Je ne porte pas de costume Hugo Boss.
Je ne mets pas de cravates de chez Dior.
Ma femme n'a pas de robe Kenzo.
Je n'aime pas son rouge à lèvres.
Nous n'avons pas de maison de campagne.
Je ne bricole pas avec Paul, je n'ai pas les bons outils.
Pas de tournevis, pas de pince, pas de marteau.
En été nous ne prenons pas de vacances à Cancún.

1. A : Vous ne connaissez pas Rabelais ?
   B : Si, je connais bien Rabelais.
2. A : Vous n'avez pas d'ordinateur ?
   B : Si, bien sûr, j'ai un ordinateur.
3. A : Vous n'aimez pas le théâtre ?
   B : Si, nous aimons beaucoup le théâtre.
4. A : Vous ne portez pas de lunettes ?
   B : Si, je porte des lunettes.
5. A : Vous n'aimez pas le café ?
   B : Si, si, j'aime beaucoup le café.
6. A : Vous n'avez pas de modèle moins cher ?
   B : Si, nous avons un modèle à 99,99 €.

A : Excusez-moi mademoiselle, c'est combien, la cravate ?
B : Attendez... euh... elle coûte 128,50 €.
A : 128 euros, une cravate !
B : Non, c'est 128,50 €.

A : Qu'est-ce que vous cherchez, monsieur ?
B : Je cherche mon journal.
A : Regardez, il est dans votre sacoche.
B : Où ça ?
A : Là, dans votre sacoche.
B : Dans ma sacoche ? Elle est où, ma sacoche ?
A : Par terre, à côté de la chaise.
B : Ah oui, je vois. Et euh...
A : Autre chose ?
B : Oui, mon chapeau, je ne trouve pas mon chapeau.
A : Il est sur la chaise, derrière la porte.
B : Ah oui, je vois, merci. Bon, je m'en vais. Et... euh... mon portefeuille.
A : Pardon ?
B : Mon portefeuille.
A : Dans votre poche peut-être.
B : Non, je ne le vois pas... ah si, ouf, il est là, avec mon portable. Bon, je m'en vais, je suis très en retard, à demain.
A : À demain, monsieur.

1. Je voudrais un thé chaud.

2. Elle a une voiture rapide.

3. Vous avez une belle maison.

4. Elle n'aime pas les longues robes.

5. Tu portes une belle veste noire.

A : La référence de la sacoche est TRH 4027.

B : Combien ?

A : 4027. 4-0-2-7. La marque est Gax.

B : Gax ?

A : Oui. G-A-X.

B : Gax. Et le prix ?

A : 165 euros.

B : 165 euros ! C'est cher.

A : C'est le prix.

B : Il y a combien de couleurs ?

A : Il y a trois couleurs : rouge, vert et jaune.

B : Rouge, vert, jaune. D'accord.

A : C'est clair ?

B : C'est clair, merci.

1. Le G20 est l'ordinateur le moins puissant.

2. L'ordinateur le moins cher est le G20.

3. Le G20 est plus vieux que le J30.

4. Le J30 a le meilleur graphisme.

5. Le G20 et le G20X sont les modèles les plus récents de la gamme G.

6. Le G20 est aussi puissant que le G20X.

7. Le J30 est l'ordinateur le plus facile à transporter.

A : Tu préfères quel ordinateur ?

B : Le J30, bien sûr. Il est plus moderne que le G20. Et toi, qu'est-ce que tu préfères ?

A : Moi aussi, je préfère le J30. J'ai besoin d'un portable, pas d'un ordinateur de bureau. Et vous, messieurs, qu'est-ce que vous préférez ?

C. Nous aussi, on préfère le J 30. C'est le plus performant. Et puis, un portable, c'est plus pratique.

1. Il y a des plantes vertes dans le bureau.

2. Il cherche ses clés pour ouvrir sa porte.

3. Je n'ai pas de carnet d'adresses.

4. Est-ce que vous avez une feuille de papier et un crayon, s'il vous plaît ?

1. Le café est délicieux.

2. La cravate est jolie.

3. Le fauteuil est confortable.

4. Les gants sont chauds.

5. L'idée est excellente.

6. L'ordinateur est performant.

1. Tu connais le code pour entrer ?

2. Où sont mes lunettes ?

3. Il n'aime pas son hôtel.

4. *A :* Vous n'avez pas de voiture ?

   B : Si, j'ai une Renault.

5. Est-ce qu'il y a des ciseaux quelque part ?

6. Tu as une gomme, s'il te plaît ?

7. Il y a une gomme dans le tiroir.

8. Qu'est-ce qu'il y a dans votre poche ?

9. La bibliothèque de l'université est ouverte.

10. Il manque une chaise dans la salle.

11. Eux, ils vivent dans une grande maison.

12. Nous, on vit dans un petit appartement.

13. En général, une voiture neuve est plus chère qu'une voiture d'occasion.

14. Quelle est la ville la plus peuplée ?

15. Les exercices sont faciles.

Exercice a

1. Je cherche un paquet.
2. Je n'ai pas d'argent.
3. Qu'est-ce que tu bois ?
4. Tu as fini ?
5. Il est brun.
6. C'est pire.

Exercice b

1. Il est là.
2. Je cherche mes gants.
3. Qu'est-ce que vous apportez ?
4. Où est la banque ?
5. J'arrose la plante.
6. Elle a un chat.

Exercice c

1. Elle traverse le pont.
2. C'est un petit pot.
3. Tu veux une bière ?
4. Je préfère le poisson.
5. Il mange une poire.
6. C'est un imbécile.

A : Bonjour, monsieur. Je peux vous aider ?
B : Oui, je cherche une chemise.
A : Quelle sorte de chemise cherchez-vous ?
B : Une chemise en coton, moderne et originale. La chemise rouge ici, elle coûte combien ?
A : 49 euros.
B : C'est un peu cher pour moi
A : Elle est très belle.

A : Tu peux noter la commande ?
B : Si tu veux.
A : D'abord, le fauteuil Pierrot.
B : Pierrot ?
A : C'est son nom, il s'appelle Pierrot.
B : Bon, bon, c'est quoi la référence ?
A : C'est AJP 65.
B : AJP quoi ?
A : 65. AJP 65.
B : Tu veux quelle couleur ?
A : Vert.
B : Vert. D'accord. Et le prix ?
A : Alors, attends... c'est.... euh...164 euros.
B : 164 euros. Et la lampe ?
A : C'est une lampe Camille.
B : Camille ?
A : C'est son nom, elle s'appelle Camille. La référence, c'est PB 216
B : PB 116
A : Non, 216, PB 2-1-6.
B : 216
A : Et le prix, c'est... euh... 129 euros.
B : 129 euros ? C'est cher.
A : C'est une belle lampe.
B : Et la couleur ?
A : La couleur... euh...rouge, ça va ?
B : Comme tu veux.
A : Rouge, alors.
B : C'est tout ?
A : C'est tout. Tu peux envoyer.

Unité 3. Emploi du temps (*page 40*)

Message 1

Avis au voyageur. Le TGV à destination de Paris, départ 15 h 40, partira de la voie 4. Je répète : le TGV à destination de Paris, départ 15 h 40, partira de la voie 4.

Message 2

Mesdames et messieurs, nous sommes à Paris Charles-de-Gaulle. Il est quinze heures quarante-cinq, heure locale.

Message 3

A : Vous êtes sur Radio Info. Il est zéro heure précise. Voici les informations de minuit, présentées par Maud Le Guellec.
B : Bonjour.

A : Excusez-moi, madame, les bureaux ouvrent à quelle heure ?
B : À 2 heures et demie.
A : Et ils ferment à quelle heure ?
B : À 5 heures.
A : Vous êtes sûre ?
B : Écoutez, c'est écrit sur la porte : Les bureaux sont ouverts de 14 h 30 à 17 heures.

A : Louise, bonjour.
B : Bonjour.
A : Louise, vous êtes une collègue de Lucas, n'est-ce pas ?
B : Tout à fait.
A : Est-ce que vous jouez du saxophone aussi ?
B : Du saxo ? Non, non, moi, je chante.
A : Ah, vous chantez ! Et vous chantez avec Lucas ?
B : Avec Lucas ? Non, non, je chante seule, avec ma guitare.
A : Vous travaillez beaucoup ?
B : Oui, pas mal, je me réveille tôt, très tôt.
A : À quelle heure est-ce que vous vous réveillez ?
B : Je me réveille à 6 heures du matin. À 7 heures, je suis au travail, et je travaille jusqu'à midi et demie.
A : Donc, vous travaillez de 7 heures du matin à midi et demie.
B : C'est ça.
A : Et l'après-midi ?

B : L'après-midi, je ne travaille pas.
A : Ah bon, vous ne travaillez pas l'après-midi ?
B : Non, je me repose.
A : Vous vous reposez ?
B : Oui, je dors, je bouquine, je regarde la télé, et puis, bon, je dîne à 7 heures du soir.
A : Et après le dîner ?
B : Après le dîner, je sors avec des copains et à minuit, je rentre chez moi.
A : À minuit.
B : Oui, enfin, vers minuit, et puis, je me douche, je me couche, je bouquine un peu, et je dors jusqu'à 6 heures du matin.

Bonjour, je suis Denise Lopez. En ce moment, je suis à la maison. Il est 20 heures. Comme vous le savez, je ne travaille jamais chez moi. Le soir, quelquefois, je vais au cinéma avec mon mari parce que nous aimons bien le cinéma. Mais le plus souvent, je reste à la maison parce que je suis trop fatiguée pour sortir. Je lis les journaux, je joue avec les enfants, ce genre de choses. Je ne regarde jamais la télévision parce que, tout simplement, nous n'avons pas de télévision.

A : Bonjour Nadia, je voudrais te poser quelques questions sur tes habitudes de travail. Est-ce que tu veux bien répondre ?
B : Oui, bien sûr.
A : Merci. Alors, première question. Est-ce qu'il t'arrive d'arriver en retard au bureau ?
B : En fait, c'est assez rare, je suis une personne très ponctuelle. Donc j'arrive tous les jours au bureau un peu avant 9 heures, rarement plus tard, après 9 heures, c'est vraiment c'est très rare.
A : Deuxième question. Est-ce que tu utilises beaucoup le téléphone ?
B : Pour quoi faire ?
A : Pour téléphoner.
B : Pour téléphoner, quelquefois, je téléphone quand c'est important. Par contre j'envoie beaucoup de messages avec mon téléphone et bien entendu j'utilise souvent mon téléphone pour un tas d'autres choses.

A : Par exemple ?

B : Par exemple, pour consulter mon agenda, chercher des informations.

A : Est-ce que tu assistes souvent à des réunions ?

B : Oui, nous avons des réunions quasiment tous les jours, parfois même deux ou trois réunions dans la journée.

A : Donc très souvent.

B : Oui, trop souvent.

A : Autre question. Est-ce que tu déjeunes avec des collègues ?

B : Oui, très souvent, en fait presque tous les jours.

A : Tous les jours ?

B : Oui, presque, nous avons un restaurant d'entreprise et je n'aime pas déjeuner seule.

A : Est-ce que tu voyages pour le travail ?

B : Je voyage souvent pour le plaisir, mais pour le travail, jamais, pour ce que je fais, ce n'est pas utile.

A : Encore une question.

B : Ok.

A : Est-ce que tu travailles après 19 heures ?

B : Après 19 heures ?

A : Oui.

B : Après 19 heures non, je sors du travail à 17 heures, parfois à 18 heures, mais je ne reste jamais après 18 heures. En fait, à 19 heures je suis chez moi.

A : Et est-ce que tu travailles chez toi ?

B : Chez moi ? Non, jamais. Quand je suis avec ma famille, je ne suis pas au travail, ce sont deux mondes différents, je ne mélange pas les deux.

A : Dernière question. Est-ce que tu fais plusieurs choses à la fois ?

B : C'est-à-dire ?

A : Par exemple, est-ce que tu travailles sur plusieurs dossiers à la fois ?

B : J'essaye de faire les choses les unes après les autres, mais le plus souvent ce n'est pas possible. Alors oui, je fais très souvent plusieurs choses à la fois.

A : Voilà, je te remercie.

B : C'est fini ?

A : C'est fini.

Quel temps fait-il à Paris ?

À Paris, les températures varient de 0 degré à 30 degrés. Il neige et il gèle rarement, mais il pleut souvent. Décembre, janvier et février sont les mois les plus froids : c'est l'hiver. Juillet et août sont les mois les plus chauds de l'année ; il y a un beau soleil, mais l'air est humide.

Conversation 1

A : On est le combien aujourd'hui ?

B : Le 9.

A : Le combien ?

B : Le 9 mars 2013.

Conversation 2

A : Il y a une date sur cette lettre ?

B : Oui, le 15 janvier.

A : 2014 ?

B : Oui, c'est ça, le 15 janvier 2014.

Conversation 3

A : Tu as quel âge ?

B : Je suis né en 1987.

A : Ah oui, moi aussi. Quel mois ?

B : En décembre, le 1er décembre 1987.

A : Le 1er décembre ! Mais c'est incroyable ! On a la même date de naissance ! Moi aussi, je suis né le 1er décembre 1987.

Conversation 4

A : Le 14 juillet, on ne travaille pas.

B : Ah bon ! Mais pourquoi ?

A : C'est la fête nationale en France.

B : Ah bon ! Qu'est-ce qu'on fête ?

A : On fête la prise de la Bastille.

B : La quoi ?

A : La prise de la Bastille. C'était en 1789, le 14 juillet 1789.

B : Ah bon...

A : Restaurant La Casserole, bonjour.

B : Bonjour, je voudrais réserver une table, s'il vous plaît.

A : Bien sûr, monsieur, c'est pour quelle date ?

B : Pour le 7 mars. C'est un mardi.

A : Mardi 7 mars, alors. Pour combien de personnes ?

B : Nous sommes deux.

A : Deux personnes. Souhaitez-vous déjeuner ou dîner ?

B : Déjeuner.

A : À quelle heure souhaitez-vous déjeuner ?

B : Vers midi et demie.

A : 12 h 30, alors. C'est entendu. La réservation est à quel nom ?

B : Berger. Max Berger.

A : Pouvez-vous épeler votre nom, s'il vous plaît ?

B : Oui, alors, ça s'écrit B, comme Bernard, E-R-G-E-R.

A : Avez-vous un numéro de téléphone, monsieur Berger ?

B : Oui, c'est le 01 28 09 12 12.

A : 01 28 09 12 12.

B : C'est bien ça.

A : Bon, je récapitule : deux couverts pour le mardi 7 mars, à 12 h 30.

B : C'est ça.

A : Bien, je vous remercie, monsieur, et à bientôt.

B : A bientôt. Au revoir.

1. A : La réunion dure combien de temps ?
   B : Environ 1 heure.

2. A : Tu te couches à quelle heure le soir ?
   B : Vers minuit.

3. A : Tu skies dans les Alpes cette année ?
   B : Oui, en février.

4. A : On est le combien aujourd'hui ?
   B : Le 18, je crois.

5. A : Il fait beau ?
   B : Non, il fait froid.

6. A : Tu travailles demain ?
   B : Non, c'est férié.

1. Il fait froid cet hiver.

2. Vous jouez au football ?

3. Ils vont souvent au théâtre.

4. Elle ne se trompe jamais.

5. Il travaille rarement le soir.

6. Mardi prochain, je ne travaille pas.

7. En général, la nuit, on dort.

8. Cet exercice est très intéressant.

Exercice a
1. C'est mon coussin.
2. Vous avez l'heure ?
3. Ils ont chaud.

Exercice b
1. Il est pour.
2. Tu es sûr ?
3. Elle est russe.

Exercice c
1. C'est son problème.
2. Le temps est magnifique.
3. Il est blanc.

Exercice d
1. Elle appelle souvent ?
2. On est libre jeudi ?
3. Il vient cet après-midi.

Bonjour, je m'appelle Karine Merlin. Je dirige une petite entreprise à Fontainebleau. C'est une ville située à 60 kilomètres de Paris. J'ai créé cette entreprise en 2007 et nous employons maintenant 15 salariés. Je travaille beaucoup. Beaucoup, ça veut dire 70 heures par semaine. Je me lève tous les jours à 5 heures du matin. De 6 heures à 7 heures, je fais un jogging dans la forêt de Fontainebleau. À huit heures, je suis au travail, à mon bureau. Je rentre chez moi vers 20 heures. Le plus souvent, je passe la soirée devant l'ordinateur. En fait, je continue à travailler à la maison. Je fais des factures, j'envoie des emails, je cherche des informations sur Internet. En général, je me couche vers minuit. Avant de dormir, je lis des journaux économiques, comme le Journal des Affaires ou l'Entreprise. Je dors seulement cinq heures par nuit. Le dimanche, je ne vais pas au bureau, mais je travaille chez moi. En fait, j'adore travailler. Ma vie, c'est mon travail. Heureusement que je suis célibataire et que je n'ai pas d'enfants !

Unité 4. Voyage (*page 56*)

Notre hôtel est situé au centre-ville de Bordeaux, à deux pas du quartier d'affaires. Toutes nos chambres sont équipées avec tout le confort : salle de bain avec douche et baignoire, toilettes, téléviseur, minibar, accès wifi, etc. Nous mettons à votre disposition un restaurant, un sauna, un salon de massage, des salles équipées pour des réunions, un parking fermé, un grand jardin et un bar, ouvert toute la nuit. Vous cherchez un hôtel avec des chambres spacieuses, calmes, confortables, avec un personnel serviable et souriant ? Notre hôtel est fait pour vous.

A : Bonjour, madame, que puis-je faire pour vous ?
B : Oui, bonjour, est-ce que vous avez une chambre libre ?
A : Quel type de chambre voulez-vous, madame ?
B : Une chambre pour une personne, avec un grand lit.
A : Oui, bien sûr. Pour combien de nuits souhaitez-vous réserver ?
B : Pour deux nuits, jusqu'à jeudi.
A : Nous sommes le 13 avril. Jusqu'au jeudi 15, alors.
B : Oui, c'est ça.
A : Il n'y a pas de problème, madame.
B : Est-ce qu'il y a une baignoire dans les chambres ?
A : Je peux vous proposer une chambre avec une baignoire.
B : Oui, s'il vous plaît. Et une piscine ?
A : Une piscine ?
B : Oui, est-ce qu'il y a une piscine dans l'hôtel ? J'aime bien commencer la journée par quelques longueurs.
A : Ah, je suis désolé, madame, nous n'avons pas de piscine dans l'hôtel. Mais il y a une très belle piscine de l'autre côté de la rue, juste en face, une piscine olympique.
B : Ah c'est parfait, je prends la chambre. C'est combien ?
A : 110 euros la nuit, petit déjeuner compris.
B : Entendu.
A : Donc une chambre avec un lit double, du 13 au 15 avril. Avez-vous une pièce d'identité ?
B : Oui, attendez... voilà mon passeport.
A : Merci.

A : Excusez-moi, le métro, s'il vous plaît ?
B : Vous prenez la première rue à gauche.

A : Je prends la première rue à gauche.
B : Vous prenez la deuxième à droite : c'est la rue du Commerce.
A : Je prends la deuxième à droite : c'est la rue du Commerce.
B : Vous traversez l'avenue Emile Zola.
A : Je traverse l'avenue Emile Zola.
B : Vous continuez tout droit.
A : Je continue tout droit.
B : Vous allez jusqu'au boulevard.
A : Je vais jusqu'au boulevard.
B : Le métro se trouve au bout de la rue du Commerce. C'est la station Commerce.
A : Très bien, merci.
B : Je vous en prie.

Le bureau de madame Zimmerman se trouve 2 rue Chapon, dans le quatrième arrondissement. Métro : Rambuteau. À la station de métro, je sors rue Beaubourg. Je vais tout droit. Je prends la deuxième rue à droite : c'est la rue Chapon. Le numéro 2 est au bout de la rue, à gauche. Le bureau de madame Zimmerman se trouve au troisième étage.

L'aéroport d'Amsterdam se situe à 18 kilomètres du centre d'Amsterdam. Pour aller de l'aéroport au centre, tu peux prendre un taxi, le train ou le bus. Dans le centre d'Amsterdam, ne prends pas les taxis, ils sont chers. Tu peux te déplacer en tramway, ou alors louer un vélo, c'est très pratique. Les musées d'Amsterdam sont fantastiques. Tu dois absolument visiter le musée Van Gogh, il est ouvert tous les jours de 10 heures à 18 heures. L'entrée coûte 10 euros, et tu peux louer un audioguide en français pour 4 euros. Prends des espèces parce que tu dois payer l'entrée en espèces. Prends ton appareil photo, mais n'oublie pas, à l'intérieur du musée, il est interdit de prendre des photos. Pour aller au musée, tu peux prendre le bus 170.

Salut, Amar. Demain, j'ai une réunion jusqu'à 17 heures et je ne peux pas aller à la gare. Prends un taxi jusqu'à chez moi et demande la clé de mon appartement à la concierge. Elle est au courant. À demain !

1. Madame, monsieur, votre attention s'il vous plaît. Le train en provenance de Zürich entre en gare voie numéro 23. Éloignez-vous de la bordure du quai, s'il vous plaît.

2. Madame, monsieur, votre attention s'il vous plaît. Le TGV numéro 1724, à destination de Munich, départ 10 h 46, partira voie 8. Il desservira : Nancy, Strasbourg. Attention, nous rappelons aux personnes accompagnant les voyageurs, de ne pas monter dans les voitures. Ce train comporte : « un service de restauration. »

3. Madame, monsieur, votre attention s'il vous plaît. Voie 12 ; en raison de difficultés de gestion du trafic le TGV numéro 1043 à destination de Zürich départ initialement prévu à 10 h 54 partira avec un retard d'environ 10 minutes. Merci de votre compréhension.

1. Vous prenez la rue Diderot.
2. Mon bureau se trouve au rez-de-chaussée.
3. Je dois régler ma note d'hôtel.
4. Il part demain matin.
5. Vous pouvez louer une voiture.
6. Je me déplace en avion.
7. Le voyage dure deux heures.
8. Vous traversez la grande place.

Exercice a
1. C'est un vent sec.
2. Il est marrant.
3. Je voudrais le plein.
4. Ça fait 500 euros.

Exercice b
1. C'est faux.
2. Il est saoul.
3. Il est tôt pour elle.
4. C'est un gros mou.

Situation 1. À l'hôtel
A : Je voudrais régler ma note, s'il vous plaît.
B : Bien sûr, madame, alors... euh... ça fait une nuit avec petit déjeuner pour une personne. C'est bien ça ?
A : C'est ça.
B : Alors voilà... ça fait 85 euros.
A : Tout est compris ?
B : Oui, madame, c'est le prix toutes taxes comprises. Ici, vous avez la taxe de séjour, et ici, c'est la TVA. En tout, ça fait 85 euros.
A : D'accord.
B : Vous payez comment, madame ?
A : Par carte bancaire.
B : Très bien... euh... voilà... vous pouvez composer votre code.

Situation 2. Dans la rue
A : Excusez-moi, pour aller à la gare, s'il vous plaît ?
B : Pardon ?
A : Pour aller à la gare...
B : À la gare... euh... vous êtes à pied ?
A : Oui, c'est loin ?
B : Euh... non... pas du tout... c'est à 3 minutes. Vous allez tout droit.
A : Tout droit ?
B : Oui, la gare est au bout de la rue.
A : Merci.
B : Je vous en prie.

Situation 3. À la gare
A : Bonjour.
B : Bonjour.
A : Je voudrais un billet pour Londres, un aller simple s'il vous plaît.
B : Pour quand ?
A : Pour lundi prochain.
B : Euh... c'est-à-dire... pour le 15 juin. Le matin ou l'après-midi ?
A : Le matin.
B : Alors... il y a un train à 6 h 26, à 7 h 26, 8 h 26, 9 h 26...
A : Je prends le premier.
B : Le train de 6 h 26, alors.
A : C'est ça, 6 h 26.
B : En quelle classe ?
A : En première classe.

Alexandra fait environ quatre voyages par an. À chaque voyage, elle part environ huit jours, sauf en été où elle voyage un peu plus longtemps. Elle ne voyage pas pour le travail et n'aime pas partir seule. Pourquoi voyage-t-elle ? Pour changer d'air, découvrir de nouvelles choses, goûter à des cuisines locales. Alexandra planifie ses voyages longtemps à l'avance. Elle cherche une destination sur Internet, compare les offres et choisit la meilleure (le prix est une condition essentielle). Généralement, Alexandra trouve un logement sur des plateformes de réservation, comme Airbnb. Elle voit où se trouve le logement, elle regarde les photos, elle lit les avis des voyageurs. Elle refuse de dépenser plus de 50 € par nuit pour se loger.

Unité 5. Travail (*page 72*)

Dans un restaurant français, vous pouvez prendre un apéritif (un verre d'alcool). Ensuite, vous commandez une entrée (par exemple, une assiette de charcuterie) et un plat principal (de la viande ou du poisson, avec des légumes). Après, vous commandez un fromage et/ou un dessert. Pour terminer, vous prenez un café et vous payez l'addition.

A : Voulez-vous du fromage, monsieur Claudel ?
B : Non, pas de fromage.
A : Un dessert, alors ?
B : Euh... je vais prendre une salade de fruits.
A : Eh bien, moi, je vais prendre un petit fromage et un dessert. Alors... attendez... euh... comme fromage, je vais prendre un morceau de chèvre, et puis, en dessert, en dessert... euh... je vais prendre une glace... c'est ça, une glace au chocolat. Et après, un petit café. Vous prenez du café, monsieur Claudel ?
B : Non, je n'aime pas le café.
A : Un thé, alors ?
B : Non merci, je vais m'arrêter là.
A : Très bien. *(Au serveur)* Monsieur, s'il vous plaît !

A : David veut voir Alice Walter. Tu la connais bien, non ?
B : Alice ? Oui, très bien. En fait, je l'appelle tous les jours.
A : Et monsieur Papineau, tu le connais aussi ?
B : Oui, un peu, pourquoi ?
A : David voudrait les rencontrer tous les deux.

A : Société Infotel, bonjour.
B : Bonjour. Pourrais-je parler à madame Walter, s'il vous plaît ?
A : C'est de la part de qui ?
B : De la part de Vincent Malle.
A : Excusez-moi, pouvez-vous épeler votre nom, s'il vous plaît ?
B : M comme Michel – A – deux L – E
A : Merci. Un instant, monsieur Malle, je vous passe madame Walter.

Conversation 1
A : Banco de Mexico, buenos dias.
B : Buenos... euh... bonjour, est-ce que vous parlez français ?
A : Un peu, oui.
B : Ah, très bien. Je suis Michel Robinet, de la société Letour, à Paris. Est-ce que je peux parler à Lisa Gomez, s'il vous plaît ?
A : Oui, bien sûr... euh... excusez-moi, vous êtes monsieur... ?
B : Monsieur Robinet, Michel Robinet.
A : Un instant, s'il vous plaît, je vous passe madame Gomez.

Conversation 2
A : Allô !
B : Bonjour, monsieur.
A : Bonjour.
B : Je suis bien au service comptable ?
A : Oui, oui, oui, c'est ça.
B : Je voudrais parler à Paul, s'il vous plaît.
A : Paul Chopin ?
B : Oui, s'il vous plaît.
A : C'est de la part de qui ?
B : De la part de Florence Janin.
A : Pardon ? Vous êtes ?
B : Florence, Florence Janin, vous savez, la patronne de Paul.
A : Oh ! La patronne de Paul... oui, oui, bien sûr, excusez-moi, Florence... euh... madame Janin... Paul est là... Je l'appelle tout de suite, un instant, s'il vous plaît. Paul ! Paul !

1. *A :* Qu'est-ce que vous avez étudié ?
   B : La linguistique.
2. *A :* Où est-ce que vous avez fait vos études ?
   B : À Paris, à la Sorbonne.
3. *A :* Est-ce que vous avez vécu à l'étranger ?
   B : Oui, je viens de passer un an à Pékin.
4. *A :* Est-ce que vous avez travaillé ?
   B : Oui, j'ai donné des cours de français dans une université chinoise.
5. *A :* Comment est-ce que vous avez trouvé ce travail ?
   B : J'ai répondu à une offre d'emploi.
6. *A :* Est-ce que vous avez appris le chinois ?
   B : Oui, j'ai pris des cours avec un professeur particulier.

A : Vous êtes monsieur Petit.

B : Oui, c'est ça, Michel Petit.

A : Vous avez 28 ans, et… euh… de quelle nationalité êtes-vous, monsieur Petit ?

B : Je suis français.

A : Sur votre CV je vois que vous avez étudié à La Sorbonne.

B : C'est exact, j'ai passé un mastère d'histoire à la Sorbonne. Moi, madame, j'adore l'histoire. Je connais très bien l'histoire du 19ème siècle, je lis beaucoup de livres d'histoire, je suis un passionné, vous voyez ?

A : Très intéressant, mais est-ce que vous connaissez l'informatique ?

B : Bien sûr, madame. Pendant cinq ans, j'ai vendu du matériel informatique.

A : Oh oui, je vois, à Londres, n'est-ce pas ?

B : Oui, madame, j'ai travaillé comme vendeur à Londres, dans la rue Oxford, Oxford street, madame, vous connaissez ?

A : Oui, oui. Alors, bien sûr, vous parlez anglais.

B : Très bien, je parle couramment anglais, I speak fluent English, je suis un très bon vendeur,

A : Une dernière question, monsieur Petit : est-ce que vous avez le permis de conduire ?

B : Le permis de conduire ?

A : Oui, est-ce que vous savez conduire ?

B : Euh… désolé, je ne sais pas conduire, mais je peux apprendre. Je suis très motivé, vous savez.

A : Alors, Clara, est-ce que vous avez trouvé un local pour le bureau ?

B : Oui, on a loué 80 mètres carrés dans un quartier d'affaires.

A : Qu'est-ce que vous avez fait encore ?

B : On a embauché une assistante chinoise.

A : Est-ce qu'elle parle français ?

B : Oui, très bien, elle a habité à Paris pendant deux ans.

A : Qu'est-ce qu'elle a fait à Paris pendant deux ans ?

B : Elle a appris le français et elle a étudié le marketing dans une école de commerce.

A : Vous avez eu le temps de visiter la ville ?

B : Un peu. Nous sommes sortis tous les soirs. Un soir, on est allé à l'opéra. Le dernier jour, j'ai fait les magasins. J'ai acheté des vêtements et des chaussures. Mais Lambert n'est pas venu. Il déteste les magasins et il est resté à l'hôtel. Par contre,

il adore la cuisine chinoise. On a mangé chinois tous les jours. Et toi, qu'est-ce que tu as fait ?

Cette année, Clara n'a pas arrêté de fumer, elle n'est pas arrivée au bureau à 8 heures, elle n'est pas revenue tôt à la maison, elle n'est pas partie en vacances avec Jacques, elle n'a pas appris le chinois, elle n'est pas retournée en Chine, elle n'a pas été gentille avec Lambert, elle n'a pas obtenu une nouvelle promotion, elle n'a pas pris la place de Lambert.

1. A : Qu'est-ce que vous prenez en entrée ?

    B : Une assiette de crudités.

2. A : Vous prenez un fromage ?

    B : Je vais prendre un chèvre.

3. A : Voulez-vous laisser un message ?

    B : Dites-lui que Jackie a appelé.

4. A : Pourrais-je parler à Paul ?

    B : Un instant, s'il vous plaît.

5. A : Est-ce que vous maîtrisez le français ?

    B : Je le parle couramment.

6. A : Quelle est votre formation ?

    B : J'ai étudié la physique.

7. A : Qu'est-ce qu'il devient ?

    B : Il a changé de poste.

8. A : Tu travailles toujours dans cette banque ?

    B : Oui, j'ai même obtenu une promotion.

Vous me demandez si je connais Pierre Vidal. Eh bien oui, je le connais bien. En fait, je lui téléphone souvent pour lui demander des conseils. Le mois dernier, je l'ai appelé au sujet du projet Cerise. Je lui ai parlé de nos problèmes. Je lui ai posé beaucoup de questions. Il m'a répondu très gentiment, il me répond toujours gentiment. Je le trouve très sympathique et je l'apprécie beaucoup. Je vais le voir demain. Vous voulez venir ?

1. lui.

2. muette.

3. loueur.

4. enfui.

5. buée.

6. nuée.

7. quoi.

8. buisson.

A : Alors, qu'est-ce que tu prends ?

B : Qu'est-ce qu'il y a ?

A : Alors… en entrée… de la salade niçoise, un œuf dur mayonnaise, des concombres à la crème

B : Je vais prendre ça.

A : Quoi ça ?

B : Les concombres à la crème.

A : Bon, moi, je vais prendre… euh… une salade de tomates. Et ensuite, comme plat, il y a une côte de bœuf au four, une omelette à l'oignon, du…

B : Est-ce qu'il y a du poisson ?

A : Du poisson… euh…oui, il y a du saumon grillé, une truite aux amandes et… euh… comme poisson, c'est tout.

B : Je vais prendre le saumon. Et toi ?

A : Moi aussi. Bon, j'appelle le serveur.

B : Et le dessert ? Est-ce qu'il y a une mousse au chocolat ?

A : Écoute, pour le dessert, on voit après. *(Au serveur)* Monsieur, s'il vous plaît ?

A : Allô, oui.

B : Bonjour. Je souhaiterais parler à monsieur Rey, s'il vous plaît.

A : C'est lui-même.

B : Bonjour, monsieur. Je suis Félix Billard, conseiller à la Banque du Nord. Je vous appelle parce que nous proposons actuellement des conditions de crédit et parce que je sais que…

A : Écoutez, je ne suis absolument pas intéressé.

B : Absolument pas ?

A : Absolument pas.

B : Très bien, écoutez… euh… bon, je n'insiste pas et je vous souhaite une bonne soirée.

A : Moi de même, au revoir.

B : Au revoir, monsieur.

Unité 6. Problèmes (*page 88*)

Dialogue 1

A : Excusez-moi, vous travaillez ici ?

B : Oui.

A : Je suis Paul Dupont.

B : Enchanté. Je suis Bill Gates.

A : Excusez-moi, monsieur Gates, est-ce que vous connaissez madame Dupont ?

B : Pardon ? Qui est-ce que vous cherchez ?

A : Je cherche Madame Dupont, Catherine Dupont, c'est ma femme, elle travaille au service comptable.

B : Non, désolé, je ne connais pas cette dame.

A : Qui est-ce qui peut me renseigner ?

B : Je ne sais pas, il n'y a personne de ce nom au service comptable.

Dialogue 2

A : Dis-moi, Catherine, tu n'as pas l'air en forme. Qu'est-ce qui ne va pas ?

B : C'est Paul.

A : Paul, encore ! Tu lui as parlé ?

B : Oui, mais ça ne sert à rien, il n'écoute pas.

A : Qu'est-ce que tu veux dire ?

B : Il parle, il parle, mais il n'écoute pas.

A : Écoute, Catherine, il faut faire quelque chose.

B : Oui, je sais Suzanne. Je sais… .

A : Qu'est-ce que tu vas faire ?

B : Je vais divorcer.

A : Divorcer ? Tu es folle ?

B : Il n'y a rien d'autre à faire, Suzanne.

Dialogue 3

A : Allô, Paul ?

B : Oui, c'est moi.

A : C'est Suzanne.

B : Pardon ?

A : C'est Suzanne à l'appareil.

B : Ah ! Suzanne ! T'es où ?

A : Je suis à Paris, mais demain, je vais à Madrid.

B : Pardon ? Qu'est-ce que tu dis ?

A : Demain, je vais à Madrid, en Espagne. Est-ce que tu connais quelqu'un à Madrid ?

B : Où ça ?

A : À Madrid, en Espagne. Tu es sourd ou quoi ?

B : Excuse-moi, je n'entends rien. Tu peux répéter ?

A : Est-ce que tu connais quelqu'un à Madrid ?

B : Non, désolé, je ne connais personne. Pourquoi ?

A : Pour rien, pour rien. Au revoir.

B : Salut !

A : Bueno !

B : Allô ! Marco ? C'est Claire.

A : Claire ? Qui ça ? Claire ?

B : Oui, c'est moi, Claire. Je te réveille ?

A : Non, non… euh… enfin, oui, il est deux heures du matin. Tu es où ?

B : À l'aéroport, à Paris.

A : À Paris ! Il y a eu un problème ?

B : Oui, j'ai raté mon avion.

A : Quoi ? Qu'est-ce que tu dis ?

B : J'ai raté mon avion !

A : Mais pourquoi ? Qu'est-ce qui s'est passé ?

B : Je me suis réveillée trop tard.

Ce matin, je me suis réveillée un peu tard. Alors, je me suis levée tout de suite, je me suis précipitée dans la salle de bain, je me suis lavée, je me suis habillée à toute vitesse. J'ai pris ma voiture et alors, pas de chance, je me suis retrouvée dans les embouteillages. Je me suis énervée, je me suis disputée avec un autre automobiliste. Finalement, je suis arrivée à l'aéroport, mais trop tard !

A : Allô, oui ?

B : Bonjour. Vous êtes monsieur Sauvage ?

A : Oui, c'est moi.

B : C'est Claire Buisson à l'appareil.

A : Ah, madame Buisson ! Vous allez bien ?

B : Oui, oui, très bien, mais j'ai un petit problème.

A : Qu'est-ce qui se passe ?

B : Voilà, je suis dans ma voiture, mais je me suis trompée de route et je vais arriver en retard.

A : Vous pensez arriver vers quelle heure ?

B : Dans une heure environ.

A : Vers 17 heures, alors ?

B : C'est ça, désolée.

A : Ce n'est pas grave, à tout de suite.

B : À tout de suite.

Dialogue 1

A : Il n'y a plus de lumière au plafond.

B : Oui, je sais, l'ampoule est grillée.

A : Tu peux la changer ?

B : Pourquoi moi ? L'escabeau est cassé. Change-la, toi !

Dialogue 2

Prends une chaise. Mets-la sur la table. Prends ce dictionnaire. Mets-le sur la chaise. Monte sur le dictionnaire. Ne t'énerve pas, calme-toi, fais attention, tu vas tomber.

Voilà l'ampoule. Prends-la, mets-la dans la douille, visse-la. Qu'est-ce qui est coupé ? Le fil électrique ? Ne le touche pas, c'est dangereux. Bon, écoute, laisse tomber, descends. Ne fais pas l'idiot, s'il te plaît, concentre-toi une minute. Tes pieds, regarde-les, ne les pose pas ici, pose-les là. Reste calme. Ma main, prends-la, serre-la. Mais... qu'est-ce que tu fais ? Aïe ! Tu t'es fait mal ?

Conversation 1

A : Tu as vu les clés ? Je cherche la 12.

B : Elles sont dans le tiroir.

A : Quel tiroir ?

B : Le tiroir du bas.

A : Je n'arrive pas à l'ouvrir.

B : Tire-le très fort.

A : Je tire.

B : Tire plus fort.

A : Ah ça y est... bon... mais... il est vide, ce tiroir.

B : Il n'y pas de clé ?

A : Non, il n'y a rien.

Conversation 2

A : Qu'est-ce que tu fais ?

B : Je bricole.

A : Qu'est-ce qu'il y a ?

B : Le robinet fuit. Je le répare.

A : Qu'est-ce que c'est ? Une fuite d'eau ?

B : Oui, évidemment !

A : Tu veux un coup de main ?

B : Oui, tiens, tu peux tenir cette lampe ?

A : Cette lampe ?

B : Oui, tiens-la, s'il te plaît.

A : D'accord.

B : Tu peux tenir le tournevis ?

A : D'accord.

B : Et le chiffon.

A : Le chiffon ?

B : Oui, prends-le, s'il te plaît.

A : D'accord.

B : Tu peux me passer le marteau ?

A : Le marteau ?

B : Oui, passe-le, dépêche-toi !

A : J'ai seulement deux mains, tu sais.

Conversation 3

A : Je peux fermer la fenêtre ?

B : Pourquoi, tu as froid ?

A : Un peu, oui.

B : Mais je viens de l'ouvrir.

A : Oui, mais j'ai froid, je peux la fermer ?

B : Bon, bon, si tu insistes, ferme-la !

A : Il y a un problème, je n'arrive pas à la fermer.

B : Pousse-la très fort.

A : Très fort ?

B : Oui, pousse, je te dis, pousse.

1. *A :* Je n'arrive pas à me concentrer.

  B : Il y a trop de bruit.

2. *A :* Je ne peux pas porter cette valise.

  B : Elle est trop lourde.

3. *A :* Ne vous promenez pas ici la nuit.

  B : Le quartier n'est pas assez sûr.

4. *A :* Ce journal n'est pas intéressant.

  B : Il ne donne pas assez d'informations.

5. *A :* Je dois remplir un tas de formalités.

  B : Il y a trop de bureaucratie.

1. *A :* Je ne me sens pas bien.

  B : Vous devriez voir un médecin.

2. *A :* Je vais monter sur le toit.

  B : Tu ne devrais pas faire ça, c'est dangereux.

3. *A :* Je ne comprends pas ces chiffres.

  B : Tu devrais demander au comptable.

4. *A :* J'ai un train dans une heure.

  B : Tu devrais te dépêcher un peu.

5. *A :* Je suis resté debout toute la journée.

  B : Vous devriez vous asseoir un instant.

Situation 1

A : On étouffe, il fait trop chaud dans ce bureau, tu ne trouves pas ?

B : Oui, c'est vrai, il fait au moins 35 degrés.

A : On ne peut pas travailler dans ces conditions.

Situation 2

A : Oh, non, c'est pas vrai, c'est la troisième fois cette semaine !

B : Qu'est-ce qu'il y a ?

A : C'est mon email, il ne fonctionne pas et je dois envoyer un message urgent.

Situation 3

A : Bon, où est-ce que j'ai mis ce dossier ? Ici, non, ici, non. Quelle pagaille dans ce bureau !

B : Nicolas, tu as trouvé le dossier ?

A : Pas encore, je le cherche. Ici, non, ici, non.

B : Nicolas, tu as mes ciseaux ?

A : Tes ciseaux ?

B : Oui, s'il te plait.

A : Oui, alors, attends, où est-ce que je les ai mis, ces ciseaux ? Ici, non, ici, non...

1. Pierre ne trouve plus son chemin, il est complétement perdu.

2. Alexandre a raté ses examens, il est très déçu.

3. Alain est souvent dans la lune, c'est un garçon distrait.

4. Guillaume est toujours occupé, il n'est jamais disponible.

5. Parle plus fort, il est un peu sourd.

6. Mathieu n'est pas là, il est absent pour la journée.

7. Kevin est très grand, il mesure près de deux mètres.

8. Simon rend service à tout le monde, il est vraiment très serviable.

1. Pour zoomer, placez le curseur sur l'image et appuyez sur la touche ALT.

2. Dans la boîte à outils, il y a des clous, des vis, un tournevis et un marteau.

3. Elle ne peut pas assister à la réunion, elle a un empêchement.

4. Dépêchons-nous, on va rater notre train.

5. S'il te plaît, tu peux mettre ces clés dans le tiroir du bureau ?

6. Il ne peut pas travailler, il est malade, il a de la fièvre.

7. William Fournier remplace madame Masson à la direction du personnel.

8. Il oublie tout, il ne retient rien.

9. Il travaille à la DRH de l'entreprise, il est responsable du recrutement.

10. Je connais un bon site : c'est www.abcd.com.

1. Il a tout bu.

2. Ils s'en vont.

3. Ce sont tes problèmes.

4. Elle travaille à Gand.

5. C'est un faux.

6. Attention au bord !

7. Elle court très vite.

8. Il a un visage rond.

Situation 1 : chez le médecin

A : Monsieur Gaillard ?

B : Oui, c'est moi. Bonjour, docteur.

A : Bonjour, monsieur, entrez !

B : Merci.

A : Asseyez-vous.

B : Merci.

A : Alors, dites-moi, qu'est-ce qui ne va pas ?

B : Eh bien voilà, docteur, j'ai mal partout.

A : Partout ? C'est-à-dire ?

B : Eh bien, voilà, docteur, je vous explique. D'abord, j'ai mal au dos quand je suis debout. Quand je suis assis, comme maintenant, ça va, mais si je me lève, j'ai mal au dos, vous comprenez, docteur ?

A : Oui, oui, tout à fait.

B : Et puis, j'ai mal à la gorge quand j'avale.

A : Hum, hum...

B : Et quand je tousse... (il tousse)... Aïe ! Quand je tousse, j'ai mal sur le côté.

A : Est-ce que vous avez de la fièvre ?

B : Ah non, pas encore, docteur.

A : Je vais vous ausculter. Venez par ici.

B : Aïe !

Situation 2 : dans une agence de voyage

A : Je regrette, monsieur, mais il n'y a plus de place sur le vol de mardi.

B : Plus de place ? Il y a une grève ? Les pilotes, n'est-ce pas ?

A : Non, ce n'est pas ça, monsieur. Il n'y a plus de place, je vous dis, le vol est complet.

B : Vous êtes sûre ?

A : Absolument, monsieur, c'est complet.

B : Qu'est-ce que je vais faire ?

A : Il y a le vol de jeudi.

B : Ah non alors ! Jeudi, c'est trop tard.

Situation 3 : à la banque

A : Bonjour, monsieur.

B : Bonjour, je voudrais ouvrir un compte.

A : Vous habitez à Paris ?

B : Oui, j'habite à côté.

A : Très bien, monsieur. Dans ce cas, il n'y a pas de problème. Vous devez prendre rendez-vous avec un conseiller clientèle.

B : Ah bon ? Je ne peux pas faire ça tout de suite ?

A : Je regrette, monsieur, tous nos conseillers sont occupés. Donc, vous prenez rendez vous et vous venez avec une pièce d'identité.

B : Mon passeport, ça va ?

A : Oui, bien sûr, le passeport, c'est très bien. Vous devez aussi apporter un justificatif de domicile.

B : Un quoi ?

A : Un justificatif de domicile. Une facture d'électricité, par exemple.

B : Dites-moi, c'est compliqué d'ouvrir un compte chez vous, vous ne trouvez pas ?

A : C'est le règlement, monsieur.

Situation 4 : au restaurant

A : Monsieur, s'il vous plaît, je peux avoir l'addition ?

B : Oui, oui, tout de suite... Alors... J'arrive... Vous payez comment ?

A : Par carte bancaire. Voilà.

B : Merci... Alors... Un instant, s'il vous plaît... Ohhh ! ... euh... Je suis désolé, il y a un problème avec notre machine. Vous pouvez payer en espèces ?

A : C'est difficile...Attendez.... euh.... Je regarde... C'est combien ?... 57 euros... Ohhh ! C'est cher.

1. En France, le taux de chômage s'élève à 9,5 %. Il est particulièrement élevé chez les jeunes et les seniors. Les chômeurs de moins de 25 ans et de plus de 50 ans ont beaucoup de mal à trouver un emploi.

2. Les syndicats de la SNCF appellent aujourd'hui à une grève. Ils demandent des augmentations de salaire. Les voyageurs devront s'armer de patience car il est prévu seulement un train sur trois.

3. Une étude compare l'air de certaines villes européennes à la fumée de cigarette. Ainsi, respirer l'air de Prague pendant un week-end équivaudrait à fumer quatre cigarettes.

Unité 7. Tranches de vie (*page 104*)

Albert : Pendant l'été, je travaillais comme guide au Jardin botanique de Montréal. Je promenais les visiteurs dans le petit train. On faisait le tour du jardin. Le voyage durait environ 10 minutes. Je m'installais à l'arrière avec un micro et je disais : « Bonjour, good morning, bienvenue à bord de l'Ouragan ! » Nous étions trois jeunes guides et on rigolait beaucoup.

Laurette : À l'âge de neuf ans, j'aidais mes parents dans leur magasin. Nous vendions des produits électroménagers. Je faisais un peu de tout, mais j'aimais surtout servir les clients. J'avais beaucoup de succès avec les vieilles dames. Quand une vieille dame entrait, mon père disait : « Cette cliente, elle est pour Laurette ! »

A : Quand j'étais étudiante, je travaillais chaque soir dans un petit restaurant. Mes parents n'étaient pas très riches et je devais financer mes études. J'étais serveuse. Nous étions deux serveurs : Jean-Luc et moi. Jean-Luc avait environ 50 ans. C'était un serveur professionnel. Il connaissait le nom et les goûts de chaque client. Il disait : « Chaque client est différent et il faut s'adapter à chacun ». Nous gagnions un fixe et des pourboires. En général, les clients étaient plutôt généreux, mais pas tous. Je me souviens d'un client bizarre. C'était un chanteur très connu, il habitait en face du restaurant et il venait souvent. Il ne souriait jamais, il ne disait jamais « merci », il ne laissait jamais de pourboire, même pas à Jean-Luc.

B : Quand j'étais étudiant, je travaillais chaque été dans une banque. J'étais au guichet. L'agence était située dans une rue bruyante. C'était mal insonorisé, on travaillait toute la journée dans le bruit. Certains clients n'étaient pas faciles. Quand ils n'étaient pas contents, ils devenaient agressifs et ils m'insultaient. Le directeur de l'agence s'appelait monsieur Legrand. En fait, il était maigre et tout petit. Il arrivait toujours le premier au bureau et repartait toujours le dernier. C'était un homme autoritaire et coléreux, il se fâchait pour un rien et tout le monde avait peur de lui. Chacun travaillait dans son coin, sans rien dire. Bref, l'ambiance n'était pas très bonne. Aujourd'hui, c'est moi le patron et c'est beaucoup plus facile.

Pour terminer, voici une histoire peu banale. Ça s'est passé jeudi soir à Porto, au Portugal. Un homme était chez lui et il voulait terminer un travail sur son ordinateur. Mais voilà : l'ordinateur est tombé en panne. Alors, notre homme s'est fâché très fort. Qu'est-ce qu'il a fait ? Eh bien, c'est très simple : il a ouvert la fenêtre, il a pris l'ordinateur et il l'a jeté par la fenêtre. Précisons que ce monsieur habite au dixième étage d'un immeuble. Heureusement, à ce moment-là, personne ne passait dans la rue.

Elle demande aux internautes de payer ses dettes... et ça marche.
Karyn, une jeune Suisse, aimait les beaux vêtements. Elle dépensait chaque jour beaucoup d'argent avec sa carte de crédit. Résultat : elle avait beaucoup de dettes : elle devait 30 000 dollars. Karyn avait un problème : elle ne pouvait pas rembourser cette somme. Alors, comment faire ? Un jour, Karyn a eu une idée. C'était une idée très simple : elle devait convaincre 30 000 personnes de lui envoyer chacune un dollar. Alors Karyn a créé un site Internet : « SaveKaryn.com ». Sur ce site, elle demandait de l'argent aux internautes. En échange, elle ne donnait rien. Pour faire connaître son site, Karyn a optimisé le référencement de son site sur les moteurs de recherche, notamment sur Google, et elle a beaucoup communiqué sur les réseaux sociaux. Le site a ainsi connu une notoriété rapide. Des milliers d'internautes ont envoyé de l'argent à la jeune femme. Trois mois plus tard, Karyn pouvait rembourser toutes ses dettes. Ensuite, Karyn a raconté cette histoire dans un livre et elle a vendu des milliers de livres dans le monde entier.

Bonjour, je m'appelle Bernard Perrin, j'ai 41 ans et je suis ingénieur de formation. Je travaille chez Fimex depuis huit ans... euh... oui, c'est ça, il y a huit ans que je suis entré chez Fimex. J'ai d'abord travaillé comme ingénieur, puis comme adjoint du directeur d'usine, et aujourd'hui, je dirige une usine, près de Paris. L'ancien directeur est parti à la retraite. Il s'appelait Eric Billard, j'ai été son adjoint pendant trois ans.

Je connais bien monsieur Billard. C'était un bon directeur, mais... euh... c'est quelqu'un qui était un peu prétentieux. Il pensait qu'il était supérieur à tout le monde, qu'il était le meilleur. C'est moi qui ai fait ça, c'est moi qui suis le plus intelligent, le plus fort, vous voyez ce que je veux dire. Il avait une très opinion de lui-même. Un bon directeur, mais juste un peu prétentieux.

A : Bonjour, Rémy, vous travaillez dans un hôtel, n'est-ce pas ?
B : Oui, c'est exact, je travaille à la réception, je travaille de nuit, de 10 heures du soir à 7 heures du matin. Je suis veilleur de nuit.
A : Est-ce que vous avez beaucoup de travail ?
B : Non, pas beaucoup, la nuit, vous savez, c'est tranquille. Mon problème, c'est que j'ai beaucoup de mal à rester éveillé, j'ai toujours envie de dormir.
A : Et alors, qu'est-ce que vous faites ?
B : Alors, je bois du café, il m'arrive de boire... euh... je ne sais pas, peut-être dix ou même quinze tasses dans la nuit.

A : Charles, est-ce que vous avez écrit le rapport Cerise ?
B : J'ai presque fini, je finirai demain, ne vous inquiétez pas ! Vous avez vu le temps ? Il pleut sans arrêt.
A : Charles, s'il vous plaît, ne changez pas de sujet !
B : Demain il fera beau, il y aura du soleil toute la journée.
A : Oui, oui, je sais, j'ai vu la météo. Est-ce que vous avez téléphoné à monsieur Cohen ?
B : Pas encore. Je téléphonerai demain, quand j'aurai une minute.
A : Non, Charles, demain vous ne téléphonerez pas à monsieur Cohen.
B : Si, si, je vous assure.
A : Non, Charles, demain vous ne serez pas dans votre bureau.
B : Si, madame, j'y serai à 8 heures précises, je vous promets.
A : Non, demain, Charles, vous chercherez du travail. Demain sera un autre jour. Vous serez au chômage.
B : Qu'est-ce que vous voulez dire, madame ?

1. Elle donne de l'argent à tout le monde, elle est très généreuse.
2. Il a été licencié parce qu'il était fatigué.
3. Arrête de parler, tu nous empêches de travailler.
4. Combien est-ce que tu as dépensé pour les courses hier ?
5. J'ai fait le ménage, j'ai jeté tous les vieux papiers.
6. Il a de la chance, il gagne toujours.
7. Les ouvriers sont en grève, ils réclament des augmentations de salaire.
8. Paul travaille pour une multinationale qui emploie près de 300 000 salariés.
9. Paul reçoit une prime de fin d'année égale à un mois de salaire.
10. Micromania est une chaîne de magasins informatiques bien connue.

A : Bonjour, je m'appelle Yasmine, je suis martiniquaise. Je suis encore étudiante, étudiante en médecine. Je suis arrivée en Métropole il y a trois mois pour faire un stage. Je travaille dans un hôpital, dans un service de radiologie, c'est la spécialité que j'ai choisie. Je vais rester à Paris un an et après je rentre à la Martinique.
B : Bonjour, je m'appelle William. Je suis anglais, profession écrivain, j'écris des romans historiques. En ce moment, j'écris un roman qui se passe pendant la révolution française. Je viens d'arriver à Paris, je suis arrivé hier. Je vais rester un ou deux mois pour faire des recherches sur la révolution française. Avant d'écrire, je passe toujours beaucoup de temps à me documenter.
C : Bonjour, je suis Markus. Je travaille pour une entreprise américaine, mais je suis allemand, et je travaille dans le marketing. Comme je parle bien français, mon entreprise m'a proposé un poste intéressant à Paris, un poste de directeur commercial et j'ai accepté. Je suis arrivé au début de l'année et je suis ici pour trois ans, avec toute ma famille.

1. Bonjour, je m'appelle Alex Morin et j'ai 22 ans.
2. J'habite à Montréal, au Canada.
3. Je fais des études de droit.
4. Je veux devenir avocat.
5. Ma mère est une avocate très connue.
6. Elle gagne beaucoup d'argent.

1. C'est fou.
2. Tu es passive.
3. Il essaye en vain.
4. Ça bouge.
5. C'est lâche

1. Je connais bien Alain Dupont.
2. On a travaillé ensemble.
3. On travaillait dans la même entreprise.
4. On s'entendait bien.
5. Alain a pris sa retraite.
6. On se voit encore de temps en temps.

1. Il était en retard.
2. Il faut y aller.
3. Il n'est plus_ici.
4. C'est_incroyable.
5. Deux ou trois.

Philippe Bosc naît en 1974 à Soultz, en Alsace, où il passe son enfance. Le petit Philippe n'aime pas l'école. « *Je m'ennuyais sur les bancs de l'école. Je voulais apprendre un métier manuel. J'ai quitté l'école à 14 ans.* », raconte- il. De 14 à 18 ans, il est apprenti dans un salon de coiffure. À 18 ans, il rate son diplôme de coiffeur. Il part à l'armée pour un an. À son retour du service militaire, c'est le chômage. Il a 19 ans. Il aide un ami boulanger à vendre du pain au domicile des personnes âgées. « *Je livrais du pain dans les petits villages. Les gens me connaissaient comme coiffeur. Ils me demandaient de les coiffer. Petit à petit, j'ai abandonné le métier de livreur de pain. Je suis devenu coiffeur à domicile.* », explique-t-il. Pendant sept ans, Philippe Bosc travaille comme coiffeur à domicile. En 2002, il crée une société de coiffure à domicile avec un capital de 3500 euros. « *Je ne voulais plus travailler moi-même. Je voulais embaucher une dizaine de coiffeuses* », explique-t-il. Philippe Bosc passe une offre d'emploi dans le journal *L'Alsace*. Il obtient seulement deux réponses. « *J'ai téléphoné à un journaliste du journal. J'ai dit que j'allais créer des emplois dans la région.* », explique-t-il. Le journaliste écrit un article. « *J'ai reçu 400 réponses. En un an, j'ai embauché 85 coiffeuses.* », poursuit Philippe Bosc. Le jeune patron comprend qu'il y a un marché national. Il embauche des coiffeuses dans d'autres régions. En 2008, il introduit la société à la Bourse de Paris. En 2012, la société emploie près de 3 000 salariés dans toute la France. Cette année-là, Philippe Bosc vend ses parts à un fonds d'investissement pour 51 millions d'euros. Il a 37 ans. Il est riche. « *L'argent n'a pas changé grand-chose. Je suis resté le même garçon. Aujourd'hui, je vis dans mon village natal. J'ai gardé les copains de mes 20 ans.* », conclut-il.

Les expressions du téléphone (*page 146*)

1. *A* : Allô ! Ici l'agence Bontour. Gilles Martinache à l'appareil.

   C : Gilles comment ?

   ***A* :** Gilles Martinache. Je suis bien chez KM13 ?

   C :   **a.** Désolée, vous faites erreur.

        b. Essayez dans une heure.

        c. Je vais voir si elle est là.

2. *A* : Allô ! Je voudrais parler à madame Lacoste, s'il vous plaît. C'est de la part de Gilles Martinache.

   ***B* :**   **a.** Je regrette, c'est personnel.

        b. Je suis navrée, il n'y a rien.

        c. Désolée, elle est en réunion.

3. *A* : Allô ! Je voudrais parler à madame Lacoste, s'il vous plaît.

   ***B* :** C'est de la part de qui ?

   ***A* :** Pardon ?

   ***B* :**   **a.** Vous êtes sûr ?

        b. Oui, c'est toi ?

        c. Vous êtes monsieur ?

4. *B* : Allô ! Société KM13, bonjour.

   ***A* :** Bonjour, c'est Gilles Martinache à l'appareil, de l'agence Bontour. Je voudrais parler à madame Lacoste, du service comptable.

   ***B* :**   **a.** Un instant, s'il vous plaît.

        b. Je transmettrai votre message.

        c. Elle est dans son bureau.

5. *B* : Société KM13, bonjour.

   ***A* :** Oui, rebonjour. J'ai appelé tout à l'heure, il y a une heure environ. Pouvez-vous me passer madame Lacoste ?

   ***B* :**   **a.** Vous m'entendez maintenant ?

        b. Vous êtes monsieur Martinache ?

        c. Est-ce qu'elle a votre numéro ?

6. *A* : Allô ! Je suis bien au service comptable ?

   ***D* :** Oui.

   ***A* :** Vous êtes madame Lacoste ?

   ***D* :**   **a.** Oui, c'est moi.

        b. Non, je ne crois pas.

        c. Si, elle revient bientôt.

7. *A* : Bonjour madame Lacoste. Ici Gilles Martinache, de l'agence Bontour. Je suis de passage dans votre ville, et j'aurais souhaité vous rencontrer.

   ***D* :** *(silence)*

   ***A* :** Allô !

   ***D* :**   **a.** Entendu.

        b. Oui, j'écoute.

        c. Au revoir.

Entretien 1

***A* :** Allô !

***B* :** Bonjour, c'est Julie.

A : Ah, Julie !

***B* :** Je ne te dérange pas ?

***A* :** Non, pas du tout, je suis content de t'entendre.

***B* :** Je t'appelle au sujet de demain.

A : Il y a un problème ?

***B* :** Oui, voilà, je t'explique...

Entretien 2

***B* :** Allô Lucas ?

***A* :** Oui, c'est moi.

***B* :** C'est Julie. T'es où ?

***A* :** Au cinéma, le film va commencer.

***B* :** Oh, désolée.

***A* :** Je t'appelle à la fin du film, ok ?

***B* :** Entendu, n'oublie pas.

Entretien 3

***C* :** Allô !

***B* :** Bonjour, est-ce que Lucas est là ?

***C* :** Lucas ? Je crois que vous faites erreur.

***B* :** Je ne suis pas chez Lucas ?

***C* :** Non, désolée.

***B* :** Ah, excusez-moi.

***C* :** Je vous en prie.

1. Un instant, je vous la passe.

2. Elle est en ligne.

3. Voulez-vous patienter ?

4. Je peux laisser un message ?

5. Pouvez-vous épeler votre nom ?

6. Excusez-moi, j'ai raccroché par erreur.

7. Appuyez sur la touche dièse.

8. La ligne n'est pas très bonne.

9. Vous pouvez compter sur moi.

Index grammatical

Les numéros renvoient aux pages des leçons.

N° de projet : 10250761
Dépot légal: janvier 2020
Imprimé en Italie par Bona SpA